L'Entente cordiale
de Fachoda à la Grande Guerre

© Éditions Complexe – Ministère des Affaires étrangères, 2004
ISBN 2-8048-0006-7
D/1638/2004/11

Sous la direction de
Maurice Vaïsse

L'Entente cordiale
de Fachoda à la Grande Guerre

dans les archives du Quai d'Orsay

Avant-propos de Dominique de Villepin,
Ministre des Affaires étrangères

EDITIONS COMPLEXE

Ont apporté leur concours à cet ouvrage
réalisé par la Direction des Archives du ministère des Affaires étrangères,

MIREILLE MUSSO, étant directeur des Archives diplomatiques,
PIERRE FOURNIÉ, conservateur en chef du Patrimoine, ROBERT FRANK, professeur à l'université de Paris-1,
ANNE GEORGEON, conservateur du Patrimoine, ISABELLE NATHAN, conservateur en chef du Patrimoine,
JEAN-PIERRE PIRAT, ingénieur des travaux géographiques et cartographiques de l'État,
ANNIE-FRANCE RENAUDIN, conservateur en chef du Patrimoine,
ISABELLE RICHEFORT, conservateur en chef du Patrimoine,
CHRISTELLE ROUSSEAU, photographe, PAUL VALLET, enseignant à l'Institut d'études politiques de Paris.

La direction de l'ouvrage a été assurée par
MAURICE VAÏSSE, professeur des Universités à l'Institut d'études politiques de Paris.

EN DÉPIT de son caractère initial limité, l'Entente cordiale fait l'effet d'un coup de tonnerre diplomatique pour la plupart des contemporains. Jusqu'alors la relation franco-anglaise a plutôt négligé l'entente et ignoré la cordialité. Après des siècles de rivalités douloureuses – nul n'a oublié la guerre de Cent Ans, le panache de Fontenoy ou l'esprit de sacrifice de la garde à Waterloo – le coq et le lion choisissent finalement de s'entendre, six ans après l'ultime crise de Fachoda.

Négocié dans l'ombre durant plusieurs mois par un triumvirat composé de Lord Lansdowne, Delcassé et Paul Cambon, l'accord du 8 avril 1904 solde le contentieux colonial, nœud gordien d'une rivalité tellement enracinée dans les esprits qu'André Tardieu pouvait la qualifier de « postulat de la politique européenne » et d'« instrument favori de la politique allemande » dans un de ses premiers ouvrages. En délaissant l'héritage pragmatique de Bismarck pour succomber aux mirages de la « *Weltpolitik* », Guillaume II a poussé l'Angleterre à quitter son splendide isolement pour obtenir le concours de l'autre grande puissance terrestre du continent.

Au-delà du pari du rapprochement, la France et l'Angleterre comprennent à quel point leur complémentarité stratégique se conjugue avec leur proximité idéologique pour rendre leur partenariat indispensable. Forgée par des révolutions pionnières, leur histoire associe quête de la liberté et recherche de l'équilibre continental, exception faite des poussées de fièvre conquérante incarnées par Louis XIV puis Napoléon.

Le mariage de la terre et de l'eau, selon la belle expression de Pierre Gaxotte, va se renforcer au creuset des épreuves partagées. Dès la première crise marocaine de 1905, l'entente laisse entrevoir l'alliance, tandis que la cordialité se mue en solidarité face au pangermanisme menaçant. Après la longue lutte commune de la Première Guerre mondiale, Churchill aide de Gaulle à relever le gant de l'honneur français. La décolonisation et la guerre froide rapprochent encore les deux peuples unis par un parallélisme de destin et la force d'un patriotisme… qui suscite naturellement quelques divergences.

Il convenait de célébrer dignement le premier centenaire de ce tournant majeur, rêvé deux siècles plus tôt par Dubois et le Régent avant d'être prôné par Talleyrand, Guizot, Napoléon III puis Gambetta.

Parmi les ouvrages publiés, celui entrepris à l'initiative de la direction des Archives du ministère des Affaires étrangères cherche, à l'aide de nombreux documents, à éclairer les étapes du rapprochement et à rendre compte de son impact sur l'opinion. Dépêches et télégrammes diplomatiques côtoient reproductions d'articles et caricatures, photographies, dessins, mais aussi ouvrages, discours ou poésies de circonstance.

Précédée d'une introduction du professeur Maurice Vaïsse, une présentation critique met en valeur chacun des documents retenus. Des cartes, conçues et réalisées pour l'occasion, aident à la compréhension du contexte. L'ensemble contribue à irriguer la réflexion contemporaine tout en la remettant en perspective.

Découvreur du passé, l'historien renoue par là même avec sa vocation d'éclaireur du présent.

DOMINIQUE DE VILLEPIN

Page de titre
de l'ouvrage
*Livre d'or
de l'Entente cordiale*,
Paris-Bordeaux,
éd. G. Gounouilhou,
1908

ENTENTE CORDIALE : il y a des mots magiques dans l'histoire ! Il est clair que le concept de l'Entente cordiale a largement dépassé en importance historique l'événement lui-même et l'historien doit s'efforcer d'analyser l'événement en soi, en faisant abstraction de l'évolution ultérieure, en particulier du déclenchement de la Grande Guerre. Le rapprochement franco-britannique, dont nous célébrons le centenaire cette année, n'est pas le premier en date. Il a en fait commencé sous Louis-Philippe, s'est poursuivi sous Napoléon III, pour aboutir en 1904 seulement.

En 1841, Lord Aberdeen qui devient Secrétaire au Foreign Office parle déjà d'un « *cordial good understanding* ». Et François Guizot, qui devient ministre des Affaires étrangères (octobre 1840-janvier 1848), après avoir été ambassadeur à Londres, travaille au rapprochement franco-britannique, sans y réussir tout à fait. Trois mois après avoir reçu la reine Victoria et le prince Albert au château d'Eu (septembre 1843), Louis-Philippe évoque dans son discours du trône, « *la sincère amitié qui m'unit à la reine de Grande-Bretagne et la cordiale entente qui existe entre mon gouvernement et le sien* ». Ce rapprochement explique que la France et la Grande-Bretagne se retrouvent unies dans la guerre contre la Russie en Crimée ; mais il faudra attendre 1904 pour qu'il

se concrétise. En réalité, l'Entente cordiale revient de loin, car les rivalités coloniales franco-britanniques ont failli aboutir entre-temps à un affrontement armé.

En moins de quinze ans, la France et la Grande-Bretagne, qui étaient sur le point de se déclarer la guerre lors de Fachoda, deviennent alliées dans la Grande Guerre. Comment cette transformation a-t-elle pu se produire ?

Le dernier quart du XIXᵉ siècle est marqué par l'apogée de l'expansion coloniale. Pour la France, qui, à la suite de la défaite de 1870-1871, est en plein recueillement, le dilemme est de savoir s'il vaut mieux rester concentrée dans les affaires européennes pour préparer la revanche ou si elle doit participer à l'aventure coloniale. De fait, sous l'impulsion de fortes personnalités comme Jules Ferry, ses marins, ses militaires, ses missionnaires et ses diplomates lui conquièrent un vaste domaine outre-mer.

Mais l'inconvénient de cette politique coloniale est qu'elle lui vaut l'animosité de ses rivales européennes : Bismarck l'avait bien prévu, lui qui encourageait la France dans l'aventure outre-mer comme le plus sûr moyen de préserver l'indiscutable suprématie acquise par l'Allemagne en Europe.

Aussi bien les rivalités coloniales constituent-elles la trame des relations internationales. Le cas de l'Égypte est particulier. Depuis Bonaparte, la France s'est prise de passion pour la terre des pharaons et les saint-simoniens y font leur plus belle œuvre grâce à l'énergie de Ferdinand de Lesseps, qui crée la Compagnie universelle du Canal de Suez et lance, malgré les pressions de l'Angleterre, les travaux de creusement du canal, qui est inauguré par l'impératrice Eugénie (1869). L'Angleterre découvre alors tout l'intérêt du canal comme moyen de communication avec les Indes, joyau de l'Empire britannique. Et elle n'a de cesse de pouvoir imposer sa tutelle sur l'Égypte. En 1875, la vente par le khédive de ses actions de la Compagnie lui en donne l'occasion : l'Angleterre les lui rachète. L'endettement et les troubles politiques de l'Égypte font le reste : en 1882, à la suite d'émeutes à Alexandrie, Londres décide d'intervenir, non sans avoir sollicité Paris de se joindre à l'opération, pour rétablir l'ordre. Voilà l'Angleterre qui s'installe subrepticement en Égypte à la fureur de la France, qui refuse de s'incliner devant le fait accompli et en est réduite à une inefficace politique de « coups d'épingle ». Plus de vingt ans de relations franco-britanniques vont se trouver empoisonnés par cet événement. Le nationalisme se donne libre cours dans les deux pays. On connaît la chanson à la mode dans les pubs londoniens (1878) : « *We don't want to fight. But by Jingo ! If we do, we've got the men, we've got the ships. We've got the money too.* » Jingoïsme auquel répond le chauvinisme français. Lors de son discours de distribution de prix, le 1er mai 1880, le député et futur ministre de l'Instruction publique Paul Bert exhorte les jeunes : « *Restez Français ! Aimez notre noble, notre chère patrie de toutes les forces de votre âme ; aimez-la d'un amour ardent, exclusif, chauvin !* »

Et la France se trouve opposée aux autres puissances européennes un peu partout dans le monde : c'est-à-dire que l'autre objectif de la politique étrangère – la récupération des provinces perdues, l'Alsace et le nord de la Lorraine (« *Pensons-y toujours, n'en parlons jamais* ») – se trouve contredit par l'isolement de la France en Europe, renforcé par ses rivalités outre-mer. Ces contradictions dans lesquelles se débat la politique extérieure de la France ne peuvent se résoudre facilement dans le contexte des années de crise politique intérieure, marquées par l'affaire Dreyfus et l'instabilité ministérielle.

Toutefois, grâce au départ de Bismarck, en 1890, et à une diplomatie allemande plus aventureuse, la France réussit à sortir du carcan de l'isolement. L'alliance franco-russe (1891-1893) est suivie d'un rapprochement franco-italien à partir de 1896. La Triplice qui tenait la France en respect s'est brisée, d'autant plus que, selon un accord politique secret signé en 1902, le royaume d'Italie promet de rester neutre en cas de guerre franco-allemande.

Dans la course aux territoires africains, le Maroc devient le nouvel enjeu au début du XXe siècle. Plusieurs pays européens avancent des prétentions plus ou moins justifiées : l'Espagne en raison de sa proximité géographique, la Grande-Bretagne à cause de

Gibraltar et de la côte atlantique du royaume chérifien, l'Empire allemand tard venu à la colonisation et déjà fort introduit sur le plan commercial, la France enfin qui voudrait bien compléter ainsi le contrôle qu'elle exerce sur le Maghreb.

C'est dans ce contexte qu'intervient l'incident de Fachoda. Sous l'impulsion du Comité de l'Afrique française et du parti colonialiste du député Eugène Étienne, la mission confiée au capitaine Marchand consiste à atteindre le Haut-Nil, c'est-à-dire le Haut-Soudan. Il s'agit de réaliser pour la France l'axe Atlantique-mer Rouge, qui croise l'axe britannique du Cap au Caire. Mais à l'évidence, la mission Marchand est un autre « coup d'épingle », un moyen de pression pour amener l'Angleterre à faire des concessions en Égypte. Certes, le capitaine Marchand, à la tête d'une centaine de tirailleurs sénégalais, précède à Fachoda (juillet 1898) le général Kitchener, fort d'une troupe de plusieurs milliers d'hommes (septembre 1898) qui vient de mettre en déroute les mahdistes et de venger Gordon Pacha. L'incident est tout près de dégénérer en guerre ouverte, mais la situation française est intenable du fait des rapports des forces. « *Ils ont des soldats. Nous n'avons que des arguments* », aurait dit Delcassé. L'affaire donne lieu à un extraordinaire déchaînement nationaliste. Dans un éditorial au vitriol publié dans *L'Intransigeant* du 13 octobre 1898, le journaliste Rochefort dénonce la reculade, crie à la trahison : « *Nous ne cessons d'être souffletés par*

Programme de la réception au Guildhall lors de la visite du président Loubet en Grande-Bretagne, 7 juillet 1903

l'Allemagne. Ne tendons pas l'autre joue à l'Angleterre. » Malgré tout, le 3 novembre, le gouvernement français décide de faire évacuer Fachoda et, par une convention de mars 1899, la France renonce définitivement à ces territoires. Cette concession positive est l'œuvre de Théophile Delcassé.

Il est incontestablement celui qui va rendre possible l'Entente cordiale. Homme du Midi, d'origine modeste, il ne fait pas partie de ces élites intellectuelles et sociales qui voient dans la Grande-Bretagne un modèle politique ou culturel. Comme journaliste pendant douze années, Delcassé a eu le loisir de faire l'analyse des relations internationales de son temps. Disciple de Gambetta qui lui fait voir l'importance de relations étroites entre les deux grands régimes parlementaires d'Europe occidentale, il est prudent face à tout ce qui pourrait porter ombrage à une possible entente franco-britannique, tout en se prononçant pour une politique coloniale active. Pour Delcassé, toutes les occasions d'accroître l'influence de la France doivent être saisies : il s'agit de refaire une France forte, capable d'occuper une place en Europe et dans le monde, et pour atteindre ce but, de rechercher des alliés. Dès l'année 1889, il estime que la Grande-Bretagne se trompe d'ennemi, quand elle s'oppose à la France d'outre-mer : « *Pourquoi toutes les fois que le gouvernement anglais éprouve le besoin d'effrayer son opinion publique, c'est la France qui lui sert d'épouvantail ? Toutes les fois qu'il voit la force en perspective, c'est la France qui est l'adver-*

saire ? Mirabeau en 1791, Talleyrand en 1792, avaient raison de dire que l'Angleterre a tout intérêt à se rapprocher de la France. Et ce qui était vrai à la fin du siècle l'est encore plus aujourd'hui. » Et lors de sa première intervention à la Chambre (novembre 1890), Delcassé explicite sa position face au rapprochement franco-britannique : « *Rappelez-vous ce que disait Gambetta [...] : je suis certes un ami sincère et éclairé des Anglais, mais non pas jusqu'à sacrifier les intérêts de la France. Soyez convaincus que les Anglais, en hommes politiques qu'ils sont, n'estiment que les alliés qui savent se faire respecter et compter avec leurs intérêts.* » Bref, le rapprochement n'est pas synonyme pour lui d'alignement sur l'Angleterre.

Delcassé arrive au Quai d'Orsay en 1898, alors que l'anglophobie sévit en France, et il est d'abord très isolé dans sa volonté de s'entendre avec l'Angleterre. La fièvre nationaliste ne retombe pas d'un coup. Les membres de la mission Marchand sont l'objet d'un véritable culte, comme outre-Manche, Kitchener,

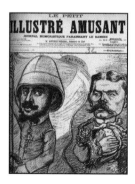 

devenu le héros de l'Empire britannique. Bientôt, l'opinion française prend fait et cause pour les Boers contre les Anglais. Et on rêve de voir la perfide Albion emportée au fond des mers par le boulet sud-africain. Partout, les intérêts franco-britanniques s'opposent : en Asie, au Siam ; en Afrique du Nord, au Maroc et en Égypte ; en Afrique noire, en Gambie et au Nigeria ; en Amérique, à Terre-Neuve, dans le commerce colonial. Contrairement à son prédécesseur Gabriel Hanotaux, tenté par un rapprochement avec l'Allemagne pour établir un front commun face à l'impérialisme anglais en Afrique, Delcassé est favorable à un rapprochement avec l'Angleterre dans le cadre d'une conversation générale. Ses atouts : il reste sept ans à la tête de la diplomatie française (1898-1905) et il est remarquablement secondé par l'ambassadeur qu'il nomme à Londres, Paul Cambon (1843-1924), qui admire sincèrement l'Angleterre pour ses institutions, pour son mode de vie et qui veut œuvrer au rétablissement de bonnes relations franco-britanniques. C'est lui qui va négocier avec le Secrétaire au Foreign Office, Lord Lansdowne. Son travail d'intermédiaire n'est pas facile. Comme il l'écrit à son frère, « *il n'est pas toujours commode de représenter Delcassé : il avance, il recule, il oublie le lendemain ce qu'il a dit la veille et puis c'est un méridional* [...] *c'est-à-dire qu'il est un peu ficelle. Avec un homme réservé et droit comme Lord Lansdowne, j'ai souvent peur que les manières de faire de mon ministre ne soient mal prises* [...], *mais il a malgré ces petits défauts de*

grandes qualités. » Lorsque la négociation se noue, quand Lansdowne évoque l'Égypte, Paul Cambon saute sur l'occasion de régler cette question qui pèse depuis vingt ans sur les rapports entre les deux pays, et suggère dans une lettre du 31 juillet 1903 : « *Il faudrait nous montrer plus exigeants au Maroc ou ailleurs.* » L'idée du troc Égypte-Maroc est dans l'air malgré l'affront de Fachoda, le bon sens finit par avoir raison de l'ambiance nationaliste et les colonialistes français eux-mêmes sont partisans d'un accord sous la forme d'un échange de liberté d'action.

Au fond, le contexte est devenu favorable à une entente franco-britannique : en France, à l'instabilité politique des années 1890, succède une certaine stabilité axée autour des partis radicaux ; en Grande-Bretagne, la guerre des Boers (1899-1902) démontre les difficultés de l'expansion coloniale et l'intérêt de sortir du « splendide isolement » et donc du jeu traditionnel entre les puissances européennes. Et malgré les difficultés passagères, l'arrière-plan social et culturel rapproche les deux pays,

puissances européennes unies par les mêmes idéaux démocratiques parlementaires : Londres, où la culture française est admirée se passionne pour les débats politiques et intellectuels de Paris, souhaite renforcer ses relations commerciales avec la France. Paris, où « *la crise allemande de la pensée française* » a profondément influencé les élites, cultive le modèle anglais. On n'hésite pas à chercher « *à quoi tient la supériorité des Anglo-Saxons* » (Edmond Demoulins, 1897) : l'éducation anglaise prépare mieux à la vie, la pédagogie sportive enseigne l'art de gouverner. Les fondateurs de l'École libre des sciences politiques, Émile Boutmy et Élie Halévy, sont fortement influencés par le modèle anglais. Et à un autre niveau *Le Tour du monde en quatre-vingts jours*, dont le succès est retentissant, donne une image positive de l'Anglais, à travers l'archétype de Phileas Fogg, gentleman élégant, impassible, d'esprit pratique et toujours flegmatique. On connaît le rôle discret et efficace du roi Édouard VII. Quand il a succédé à la reine Victoria en 1901, Fachoda date de moins de trois ans et la guerre des Boers fait rage. Il n'a de cesse de modifier les médiocres relations franco-britanniques. Au cours de son voyage à Paris en mai 1903, où il est venu à de nombreuses reprises depuis une visite en compagnie de la reine Victoria en 1855, il conquiert les cœurs des Parisiens. Après avoir crié « *Vive Marchand ! Vive Fachoda ! Vivent les Boers !* », ils finissent par le saluer par un « *Vive le Roi !* » Trois mois plus tard, le président Émile Loubet est en visite à Londres. Bref, la cordialité des relations n'est

pas une pure invention des politiques. En 1908, l'exposition franco-britannique manifeste la cordialité des rapports : les initiales RF sur les blasons ne signifient pas « République française » mais « *real friends* » ; c'est tout un programme !

Les accords de 1904 visent seulement à régler, par une sorte de troc, les différends coloniaux. Le compromis est remis en cause à la dernière minute par la contestation sur les droits de pêche à Terre-Neuve que la France détient depuis le traité d'Utrecht de 1713. Les pêcheurs bretons, qui en bénéficient, vont être amenés à se reconvertir. En définitive, la France renonce au droit de pêche exclusif à l'ouest de Terre-Neuve en échange d'îles en face de la capitale de la Guinée française, Conakry, et de rectifications de frontières aux limites du Nigeria. Outre la convention concernant Terre-Neuve et l'Afrique occidentale et centrale, deux déclarations font partie de « l'Entente cordiale » : une déclaration porte sur le Maroc et l'Égypte, l'autre sur le Siam, Madagascar, et les Nouvelles-Hébrides.

C'est évidemment la déclaration concernant l'Égypte et le Maroc qui en constitue le cœur. La France n'entravera pas l'action de l'Angleterre en Égypte. Le gouvernement britannique n'entravera pas l'action de la France au Maroc, sous réserve de leurs intérêts réciproques dans ces deux pays. Et les deux gouvernements conviennent de se prêter appui pour faire respecter ces dispositions.

Les réactions sont mitigées. Des publicistes parisiens font remarquer que la France a lâché la proie (l'Égypte) pour l'ombre (le Maroc) ; un dessin représente John Bull et Marianne se pesant après les accords de 1904 : « *J'ai grossi* », constate l'Anglais, « *J'ai maigri* », s'étonne Marianne. Dans l'ensemble toutefois, l'accord est bien accueilli.

C'est bien d'un troc qu'il s'agit. Dans une lettre qu'il écrit à sa famille le 8 avril, juste après avoir signé les accords, Paul Cambon utilise le mot d'« arrangement ». Nulle trace dans ces accords de déclaration de politique générale, nulle proclamation d'amitié franco-britannique. Au fond, ce qui transforme le troc en entente, c'est la perception commune d'une politique allemande qui apparaît comme agressive et expansionniste. Le danger est d'abord commercial, dans la mesure où la Grande-Bretagne se voit concurrencée dans sa suprématie commerciale, au point même, comme on le voit dans la lettre de Geoffray du 14 mai 1898, de ressusciter le spectre du blocus continental. Mais la menace allemande est aussi navale avec la volonté politique de Guillaume II et de l'amiral Tirpitz de construire une grande marine allemande défiant ainsi le principe du *Two power standard*. Pour autant, la Grande-Bretagne n'est pas disposée à conclure une véritable alliance avec la France. Vivre en bonne intelligence certes, mais l'idée du superbe isolement n'est pas abandonnée, comme le démontre l'hostilité qui s'exprime lorsqu'on débat d'un éventuel tunnel sous la Manche : « *Nous ne voulons pas devenir une puissance continentale* », disent les Anglais qui craignent une invasion française. En outre, bien des Anglais restent hostiles à la France et sont demeurés fidèles à une politique d'entente avec l'Allemagne.

D'ailleurs, l'évolution des relations internationales entre 1904 et 1914 aurait pu réserver bien des surprises et aller à l'encontre d'une entente franco-britannique. La rivalité entre la France et la Grande-Bretagne pouvait fort bien ne pas s'apaiser, même après les accords de 1904 qui n'étaient pas conçus par Lord Lansdowne et Balfour comme une combinaison anti-allemande. Entre 1905 et 1914, on constate aussi que les relations franco-

allemandes pourraient s'améliorer, et qu'une entente germano-britannique aurait très bien pu remplacer la rivalité entre Berlin et Londres.

Ce qui donne à l'événement de 1904 son importance historique, c'est la volonté politique de Delcassé : paradoxalement, on peut estimer que l'Entente cordiale date non de 1904 mais de 1905, lorsque Delcassé impute sa démission aux pressions de l'Allemagne. Face à la grande politique de Delcassé, l'Allemagne ne peut supporter que la question du Maroc se règle en dehors d'elle. En réalité, l'habileté de la diplomatie française l'accule au choix entre la résignation et le sursaut brutal. Elle profite du contexte de la guerre russo-japonaise, où la Russie serait incapable d'intervenir, pour frapper un grand coup. Par son discours à Tanger (31 mars 1905), l'empereur Guillaume II entend sauvegarder les intérêts de l'Allemagne au Maroc : il insiste sur l'indépendance d'un pays qui doit rester ouvert sans annexions ni monopole. C'est dire qu'il se prononce clairement contre la liberté d'action consentie par la Grande-Bretagne à la France dans le royaume chérifien. La crise internationale se double alors d'une crise interne au gouvernement français. Alors que Delcassé pense que c'est un bluff, le président du Conseil Rouvier est inquiet et fait état, lors du Conseil des ministres du 6 juin 1905, de menaces très sérieuses : « *L'Allemagne entrera chez nous sans déclaration de guerre.* » Or, la France n'est pas en mesure de s'y opposer. Bref, Rouvier ne veut pas provoquer une agression de

l'Allemagne et récuse les ouvertures de l'Angleterre – qui ne craint pas, elle, d'être envahie dans son île – pour s'entendre avec la France. Mis en minorité, Delcassé démissionne, mais la conférence d'Algésiras (1906), réunie pour régler la question marocaine, s'achève sur un succès français : tout en proclamant la souveraineté chérifienne, la prépondérance française y est reconnue.

Les initiatives allemandes à Tanger en 1905 et à Agadir en 1911 suscitent chaque fois le resserrement des liens franco-britanniques, avec le début de conversations secrètes d'état-major en décembre 1905 qui visent à étudier l'éventualité d'une action conjointe dans le cas d'un conflit, et après 1911, avec les plans du général Joffre qui réservent une place au corps expéditionnaire britannique dans le nord-est de la France. Mais comment rester les alliés de la Russie et devenir les amis de l'Angleterre ?

Le resserrement de l'Entente cordiale ne serait pas satisfaisant sans le rapprochement de l'Angleterre et de la Russie qui sont alors

toujours rivales en Asie, tout spécialement pour la défense des frontières de l'Inde. Par la convention du 31 août 1907, l'Angleterre renonce au Tibet, la Russie à l'Afghanistan ; et la Perse est divisée en trois zones d'influence. Cet accord marque une date importante en consacrant le partage de l'Europe en deux blocs. Peu après, la crise bosniaque (annexion de la Bosnie-Herzégovine par l'Autriche en 1908) resserre encore la Triple-Entente.

L'envoi d'un navire de guerre allemand, *Panther*, à Agadir le 1er juillet 1911 ouvre la deuxième crise marocaine. « *Voici le pétard allemand qui éclate* », écrit Cambon. Berlin, qui proclame que l'acte d'Algésiras est caduc, cherche en réalité à obtenir une compensation coloniale, concédée finalement par l'accord du 4 novembre 1911 : la France cède à l'Allemagne la partie inférieure du Congo, en échange de la liberté d'action au Maroc. La détente dans les relations internationales est de courte durée en raison des difficultés de l'Autriche-Hongrie confrontée aux guerres balkaniques (1912-1913). La course aux armements et aux effectifs (loi des trois ans) est relancée, mais l'Angleterre est soucieuse de ne pas s'engager dans des liens trop contraignants, malgré les progrès techniques qui écornent son insularité : en 1909, Louis Blériot traverse en avion la Manche qui n'est plus infranchissable !

Ce sont des hauts fonctionnaires qui voient la faiblesse de la formule de l'Entente cordiale – qui n'est pas une alliance militaire formelle – et s'efforcent d'en appuyer le mécanisme. Du côté anglais, on peut signaler les personnalités de Thomas Sanderson, Charles Hardinge et Arthur Nicolson, successivement *Permanent Under Secretary* du Foreign Office, et de Francis Bertie, ambassadeur en France de 1905 à 1919. À la suggestion de Bertie, le gouvernement français prend l'initiative de proposer au gouvernement anglais de se consulter en cas de crise, démarche qui est à l'origine directe des échanges de lettres entre Sir Edward Grey et Paul Cambon en novembre 1912. Aux termes d'un autre accord, il est prévu que les Français concentrent leurs principales forces navales en Méditerranée, tandis que les Britanniques transfèrent la plus grande partie de leur marine de Méditerranée vers la mer du Nord. Il ne s'agit pas encore d'une alliance, mais ce n'est plus un simple accord de désistement réciproque. Du côté des militaires, les contacts se renforcent entre l'attaché militaire à Londres, Huguet, le vicomte Esher, membre du Comité de défense impériale, le général John French, commandant désigné d'un corps expéditionnaire sur le continent.

Au cours de la crise de juillet 1914, les membres du cabinet britannique sont divisés. N'étant liée par aucune alliance formelle, sans intérêt direct dans les Balkans, l'Angleterre pourrait demeurer neutre. Dans la dernière semaine de juillet 1914, Paul Cambon se dépense sans compter pour obtenir l'engagement de l'Angleterre : « *La France peut-elle compter sur l'Angleterre ?* », demande-t-il au Secrétaire au Foreign Office, Sir Edward Grey, qui a lancé l'idée d'une conférence pour résoudre la crise. « *Le moment n'est pas encore venu* », répond-il. Le 31 juillet 1914, le jour même où les Austro-Hongrois mobilisent et où les Allemands demandent à la France de rester neutre, au moment où, à Paris, Jean Jaurès est assassiné, Paul Cambon se rend à Covent Garden où l'on joue *Boris Godounov*. À la fin de la représentation, après le *God Save the King*, le ténor russe entonne la *Marseillaise*. La salle debout se tourne vers la loge de Paul Cambon qui ne bouge pas et reste dans l'ombre.

Malgré l'insistance de l'ambassadeur de France rappelant le gouvernement anglais à ses obligations, seule la violation de la neutralité de la Belgique, en infraction du traité de 1839, décide la Grande-Bretagne à entrer en guerre le 5 août 1914. C'est lorsque la guerre a éclaté que la France obtient l'officialisation de l'Alliance, par le pacte de Londres, signé le 5 septembre 1914.

À l'instar du pacifiste d'Estournelles de Constant, on aurait pu, bien sûr, souhaiter un autre aboutissement pour cette alliance que la Grande Guerre. On retiendra néanmoins deux enseignements de cet extraordinaire retournement de situation dans les relations franco-britanniques. L'autonomie du politique tout d'abord : quel que soit l'état de l'esprit public, un gouvernement doit parfois orienter sa politique à l'encontre de l'opinion dominante et la déterminer en dehors des emportements du moment. L'importance du soutien populaire ensuite : corrélativement, en effet, une alliance n'est forte et durable que si elle est soutenue par la convergence des opinions publiques des deux pays considérés. Comme quoi, l'Entente cordiale est toujours à réinventer.

MAURICE VAÏSSE

Londres, vente d'insignes célébrant
l'Entente cordiale,
photographie anonyme,
entre 1904 et 1918

Le discours de Joseph Chamberlain à Birmingham

La dépêche du chargé d'affaires à Londres évoque deux des protagonistes de l'impérialisme britannique, Joseph Chamberlain, ministre des Colonies, et Lord Salisbury, Premier ministre conservateur.

En 1898, quoique très sûre d'elle-même, l'Angleterre doit cependant tenir compte de l'évolution des relations internationales et songe à remettre en cause son splendide isolement. Et c'est là l'objet du discours de Joseph Chamberlain prononcé à Birmingham, ville dont il a été le maire. La suprématie commerciale de l'Angleterre est selon lui menacée par une attaque combinée des autres peuples qui, si elle réussissait, exposerait le pays à des périls égaux à ceux dont l'a menacé jadis Napoléon. L'amitié des Américains ne sera pas suffisante en cas de crise grave. Et Chamberlain de rappeler le précédent de la guerre de Crimée, où l'alliance avec la France avait permis de triompher des Russes. Il faut donc nouer des alliances avec des États militairement forts.

Avant de mettre fin à cet isolement diplomatique, il s'agit d'abord de résoudre en Afrique le dernier contentieux colonial dont le Haut-Soudan constitue l'abcès de fixation. Chacun tente alors de s'en approcher : les Anglais à partir du nord et du sud, en dépit des revers sanglants qui ont conduit au massacre de Gordon Pacha ; les Allemands, à partir de la région des Grands Lacs ; les Italiens, à partir de la côte occidentale de la mer Rouge ; les Français, à partir de l'Afrique équatoriale. Pour tous, le but est un accès au Nil, et par-delà, à la Méditerranée.

Chez Salisbury et Chamberlain, la question du Nil et la suprématie britannique dans la région deviennent le centre des préoccupations et bénéficient d'un véritable consensus national, dont seuls se démarquent les quelques partisans que compte encore le vieux ministre Gladstone. Du côté français, on est conscient de l'hypersensibilité britannique sur la question et des dangers de confrontation. Mais nombreux sont ceux qui vivent toujours bercés par les rêves égyptiens nourris par Bonaparte et Thiers et ne se pardonnent pas les abandons successifs au profit de l'Angleterre. C'est le cas du capitaine Jean-Baptiste Marchand qui est parvenu à convaincre le ministre des Affaires étrangères, Gabriel Hanotaux, de soutenir la mission Congo-Nil. En 1896, celle-ci quitte le Congo et prend la direction de Fachoda, petit fort soudanais. La même année, Kitchener pénètre au Soudan.

Dépêche de Louis Geoffray, ministre de France à Londres, 14 mai 1898, relative au discours prononcé par Joseph Chamberlain à Birmingham

LES NÉGOCIATIONS PENDANT LA CRISE DE FACHODA

Ce télégramme de Théophile Delcassé à son ambassadeur à Londres fait référence à celui que Lord Salisbury a envoyé la veille à Edmund Monson, son ambassadeur à Paris : « *Afin d'éviter tout malentendu, vous devriez prévenir Son Excellence que* [...] *le Gouvernement de Sa Majesté ne modifie en aucune façon les vues déjà exprimées par lui au sujet de la question principale. Les parages où le sirdar a trouvé M. Marchand n'ont jamais été sans propriétaire, tant soit au temps de la domination égyptienne ou derviche ; et le Gouvernement de la Reine considère que son expédition dans cette région avec une escorte d'une centaine de troupes sénégalaises demeure sans valeur ou portée politique.* »

Dans ces journées d'extrême tension, Edmund Monson se rend quotidiennement au Quai d'Orsay pour remettre à Delcassé les messages de Salisbury. Le ministre français vit alors les journées les plus angoissantes de sa carrière. Ses cheveux auraient prématurément blanchi…

Outre-Manche, le sentiment anti-français est à son comble. La nouvelle de la présence de Marchand à Fachoda a provoqué un tollé dans l'opinion. On envisage la guerre contre une France jugée affaiblie par les crises internes liées à l'affaire Dreyfus.

De gouvernement à gouvernement, si le rapport de force sur place, éminemment favorable à la Grande-Bretagne, est à peine évoqué, chacun avance des arguments juridiques, destinés surtout à gagner du temps. Le gouvernement britannique est intraitable : la présence du capitaine Marchand à Fachoda ne peut en rien être justifiée. On invoque ainsi la souveraineté sur le Haut-Soudan du khédive d'Égypte, du sultan ottoman, et même des derviches – terme alors employé pour qualifier les partisans du Mahdi, l'envoyé du Prophète –, qui avaient chassé les Égyptiens de Khartoum en 1885. Si Delcassé conteste un temps cette vision des choses, il finit par dresser ce constat amer mais lucide : « *Ils ont des soldats. Nous n'avons que des arguments.* »

À la fin du mois d'octobre, en dépit de consultations quasi quotidiennes, la tension demeure extrême. Le 28 octobre, Salisbury finit par signifier à Delcassé qu'il ne peut y avoir de négociations tant que le drapeau français flottera sur Fachoda. Delcassé accepte ces conditions. Le 3 novembre, la décision d'évacuer Fachoda est officiellement annoncée aux Anglais.

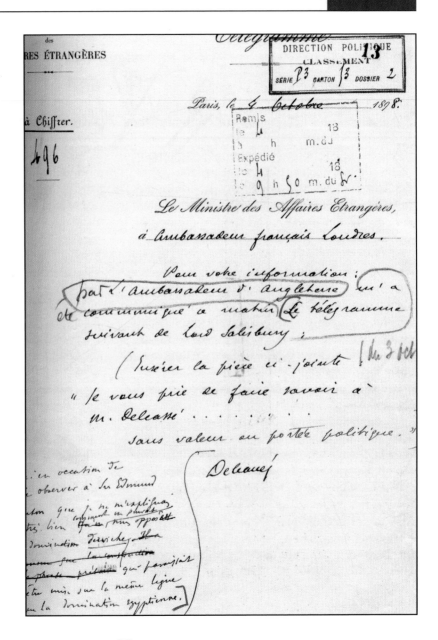

Télégramme
de Théophile
Delcassé
à Alphonse de
Courcel,
4 octobre 1898

LE COMMANDANT MARCHAND ET LORD KITCHENER, PROTAGONISTES DE LA CRISE DE FACHODA

En dépit de l'évacuation de Fachoda, la tension franco-britannique va demeurer vive pendant longtemps, comme en témoigne cette couverture du *Petit Illustré amusant*, daté du 10 juin 1899, où l'on voit, une nouvelle fois opposés, le commandant Marchand et Lord Kitchener.

Profondément marquée par l'affaire Dreyfus, ridiculisée par le décès, au parfum de scandale, du président Félix Faure, la France est alors en proie à une poussée de fièvre nationaliste. L'affaire de Fachoda est ressentie comme une nouvelle humiliation. L'opinion se déchaîne contre Delcassé qui a ordonné l'abandon, même si toutes les précautions ont été prises pour combler le héros national, souvent comparé à Jeanne d'Arc, d'honneurs extraordinaires.

Quand les membres de la mission retrouvent la métropole, ils sont accueillis dans l'enthousiasme. L'obstination farouche et l'orgueil blessé des officiers français qui ont tenu tête aux deux mille soldats et aux canonnières de Kitchener, les souffrances endurées au cours de leur long périple à travers l'Afrique font l'objet de relations et de débats passionnés. La droite nationaliste s'efforce de récupérer Marchand. En officier loyal, il ne répondra pas aux avances que lui fait notamment la Ligue des Patriotes et découragera toute menée subversive qui utiliserait son nom.

Outre-Manche, un autre héros est né : Horatio Herbert Kitchener, bientôt Lord Herbert. En 1898, le sirdar – général – de l'armée anglo-égyptienne a non seulement écrasé les mahdistes à la bataille d'Omdurman, vengeant ainsi l'assassinat de Gordon Pacha, mais il a aussi eu raison des Français à Fachoda. Grâce à lui, le Soudan fait dès lors partie de l'Empire britannique.

Au mois d'octobre 1898, en pleine crise de Fachoda, il a été accueilli triomphalement à Londres, dans d'extraordinaires démonstrations de liesse populaire, comme aucun autre soldat ne l'a été depuis les guerres napoléoniennes. Il est véritablement le grand héros militaire de la fin du XIXe siècle, un véritable symbole, celui qui a su incarner le rêve impérialiste, cher à Chamberlain, aux conservateurs, et aux nouvelles classes moyennes

Envoyé peu après dans le Transvaal, il va y mener une guerre sans pitié contre les Boers insurgés. Secrétaire d'État à la Guerre pendant la Grande Guerre, il organisera la levée de trois millions d'hommes contre l'Allemagne, avant de trouver la mort sur le HMS *Hampshire*, le 6 juin 1916.

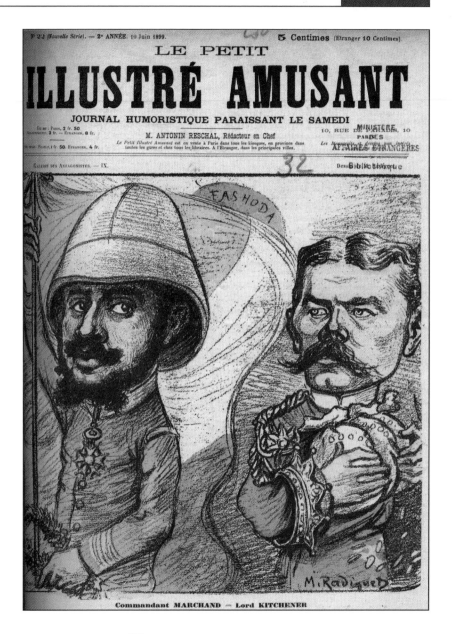

Caricatures
du commandant
Marchand et de
Lord Kitchener,
*Le Petit Illustré
amusant,*
10 juin 1899

LA GUERRE DES BOERS (1899-1902)

En Afrique australe, le pouvoir colonial anglais, qui rêve de s'étendre du Cap au Caire, se heurte au nationalisme boer. Depuis 1881, les États du Transvaal et l'État libre d'Orange ont acquis une indépendance sous suzeraineté britannique (droit de regard sur la politique extérieure). Mais les incidents créés par les immigrants britanniques au Transvaal et les menées britanniques visant à isoler les républiques pour les annexer aux colonies du Cap et du Natal, dégénèrent en un conflit armé en octobre 1899.

Un an après l'abandon par la France de toute position au Soudan, l'heure n'est plus à l'affrontement sur le continent africain : fidèle à l'orientation nouvelle qu'il a insufflée à la politique étrangère française en dénouant la crise de Fachoda, Delcassé s'en tient à une stricte neutralité. Très vite, le gouvernement est débordé par son opinion publique, encore sous le coup de l'humiliation subie à Fachoda. La vague de francophobie suscitée par l'affaire Dreyfus en Angleterre, où l'on a pris fait et cause pour le capitaine, exacerbe encore en France le sentiment anti-anglais. Malgré l'interdiction qui en est faite, des volontaires s'engagent, des comités se créent pour soutenir la cause boer. Une véritable « boeromania » s'empare de la société civile, qui n'est pas seulement marque de sympathie pour les faibles contre les forts. Le réflexe d'identification aux fermiers sud-africains, dont on se plaît à rappeler les origines protestantes françaises, joue à plein.

La guerre anglo-boer donne l'opportunité d'une revanche inespérée : « *Ce drapeau tricolore arraché de Fachoda et déchiré à Londres a été porté à Prétoria par des volontaires français* », s'exclame un propagandiste pro-boer.

Pour la Paix dans l'Afrique du Sud

*Les soussignés expriment le vœu que le Gouvernement français, avec d'autres Puissances signataires de la Convention de la Haye, offre aux Gouvernements belligérants les **bons offices** ou la **médiation** prévue à l'article 3 de cette Convention.*

SIGNATURES (bien lisibles)	ADRESSES
E. Lepicard	Rue des bons enfants 118
Louise Fontaniol	même Adresse
Veuve Buhot	

N. B. — Détacher cette formule, la signer et l'envoyer le plus promptement possible au **Bureau Français de la Paix**, 6, *rue Favart, à Paris*, ou aux bureaux du **Petit Rouennais**, 41, *rue Herbière*. Si l'on est en état de recueillir plusieurs signatures, coller ou copier la formule sur une feuille de papier blanc. Les dames sont également priées de donner leur signature.

Pétition lancée à l'initiative du Bureau français de la paix, adressée au ministre des Affaires étrangères en 1900

L'OPINION FRANÇAISE ET LA GUERRE DES BOERS

Formation de comités d'aide aux blessés, envoi de colis de vêtements et de nourriture par des associations de dames, pétitions : tous les moyens sont bons pour exprimer publiquement le soutien aux républiques en lutte pour leur liberté ou faire pression sur le gouvernement pour l'amener à renoncer au principe de neutralité. Au début de l'année 1900, l'arrivée en renfort du général Kitchener donne un avantage décisif aux Britanniques qui envahissent l'État libre d'Orange et occupent sa capitale le 13 mars. Les deux républiques tentent alors, dans un dernier sursaut, d'obtenir des puissances européennes leur entremise pour amener la paix et la reconnaissance de l'indépendance. Elles y sont encouragées par le fait que le Royaume-Uni a récemment signé la convention de La Haye qui recommande le recours aux bons offices pour hâter la résolution des conflits. En France, la démarche est soutenue par l'opinion qui multiplie les pétitions — comme celle reproduite ici, éditée par un éphémère Bureau français de la paix et un journal local. Des scientifiques engagés dans les combats de leur temps proposent au ministre un mémoire sur « *les meilleurs moyens d'assurer la paix générale* ». En vain : Delcassé reste sur ses positions. Le 15 mars 1900, dans une séance à l'Assemblée, il se retranche derrière le refus anticipé de Londres et l'absence d'enjeu pour refuser d'offrir la médiation de la France aux belligérants.

SUGGESTIONS

SUR LES MEILLEURS MOYENS

D'ASSURER LA PAIX GÉNÉRALE

Mémoire adressé au Ministre des Affaires Étrangères
par de nombreuses Notabilités.

Signée par beaucoup de personnalités scientifiques, politiques, littéraires, philanthropiques, etc., la pétition suivante, qui mérite de fixer l'attention des hommes d'Etat devant composer la Conférence de La Haye, a été adressée dernièrement, par le bureau de l'Alliance des savants et des philanthropes, aux Ministres des Affaires étrangères de France et de Russie:

MONSIEUR LE MINISTRE,

Comme tous les hommes de cœur, nous avons applaudi à la proposition si magnanime et si chevaleresque du grand tsar Nicolas II, qui eût obtenu l'approbation d'Alexandre III, son noble et vénéré père.

Cette proposition, déjà émise par Frédéric II, Napoléon Ier, le tsar Alexandre Ier, l'empereur Napoléon III, MM. de Bismarck, de Caprivi, Crispi, le pape Léon XIII, l'empereur Guillaume II, le roi Christian IX, mérite d'être prise en sérieuse considération par la France, pourvu cependant qu'elle n'en soit pas dupe.

Depuis sept ans, dans ses séances et ses conférences, entre autres, dans celles de M. Frédéric Passy, notre collègue; dans ses congrès, surtout dans celui de 1896, ouvert sous la présidence de M. Levasseur, de l'Institut, l'un de nos conseillers, et la présidence d'honneur de Messieurs les Ministres de l'Intérieur et de l'Instruction publique, l'Alliance des savants et des philanthropes s'est beaucoup occupée, avec les Congrès universels d'arbitrage et le Bureau international de la paix, de résoudre le problème

Suggestions sur les meilleurs moyens d'assurer la paix générale, adressées au ministre des Affaires étrangères lors de la guerre des Boers

RÉACTIONS DE LA PRESSE FRANÇAISE

Après la chute de Prétoria en juin 1900, la guerre change de sens : à l'affrontement entre armées succèdent des opérations de « pacification » menées sans états d'âme par Kitchener. Amplifiés par les témoignages des volontaires, les récits d'atrocités suscitent l'émotion : les Anglais utiliseraient des balles explosives dum-dum, au mépris des conventions de Genève et de La Haye, multiplieraient les exactions et inciteraient les tribus indigènes à commettre des actes de barbarie. La visite du président sud-africain Paul Kruger, accueilli triomphalement à Marseille et Paris en décembre 1900, assure à ces thèmes une nouvelle caisse de résonance.

Au centre de cette propagande, la presse, à laquelle l'évolution des techniques d'impression (invention de la rotative en 1872, de la Linotype en 1884) a donné, en ce début de siècle, de formidables pouvoirs, en permettant une augmentation des tirages à faible coût. Le recours à la photographie et le talent des caricaturistes lui donnent en outre une force d'expression inédite. Parmi les hebdomadaires satiriques, *L'Assiette au Beurre*, qui paraît de 1901 à 1914, est sans doute celui qui a le plus marqué la Belle Époque, tant par la renommée de ses dessinateurs (de Caran d'Ache ou Grandjouan à Kupka, Juan Gris ou Van Dongen) que par la violence de ses prises de position, teintées d'anarchisme. Chaque numéro est consacré à un thème, général (la police, le colonialisme...) ou d'actualité, et la réalisation en est confiée à un auteur unique. C'est au dessinateur Jean Véber que revient le soin de dénoncer, dans le numéro du 28 septembre 1901, le conflit anglo-boer, et plus particulièrement l'ouverture par les Anglais de « *camps de reconcentration* » au Transvaal.

Dans l'inconscient collectif du début du XXe siècle, le terme n'a certes pas la même portée qu'après Auschwitz. Il n'en désigne pas moins une réalité jugée alors particulièrement abominable : le regroupement, pour enlever tout soutien à la guérilla et sous le prétexte de les protéger, de civils, femmes, enfants, vieillards, dans des camps où, faute d'une gestion efficace, la malnutrition et la maladie entraînèrent la mort d'un sixième de la population. Jean Véber choisit la première page pour représenter la douleur des Boers, incarnée dans une figure féminine en grand deuil, seule devant une charrue abandonnée, symbole d'un peuple paysan en lutte contre une Angleterre industrielle et impérialiste, thèmes qui, sans nul doute, pouvaient rencontrer un écho auprès d'une société française essentiellement rurale et traditionnelle.

Les camps
de reconcentration
au Transvaal,
*L'Assiette au
Beurre*,
28 septembre 1901

La retenue et l'austérité de la page précédente tranchent avec la gauloiserie toute rabelaisienne des caricatures de l'impudique Albion et d'Édouard VII, grotesques personnages bouffis et rougeauds, que le dessinateur réserve à la quatrième de couverture et aux pages intérieures. L'excès fut payant (le succès rencontré justifia dix rééditions), mais la cour d'Angleterre demanda des excuses publiques et la censure dut finalement intervenir !

Les caricatures dessinées dans l'hebdomadaire *La Vie pour Rire* (livraison du 22 mars 1902) par Maurice Radiguet ont un tour plus résolument politique. Ce prolifique auteur de bandes dessinées, caricaturiste renommé, connu aussi pour être le père de l'auteur du *Diable au corps*, passe ici en revue, sur trois colonnes, les possessions de la Couronne anglaise, de l'Irlande au Transvaal, en imaginant une révolte générale contre l'impérialisme britannique. Épilogue rêvé : Albion, reine des mers, sombre définitivement, victime de la guerre du Transvaal et du poids de son empire colonial.

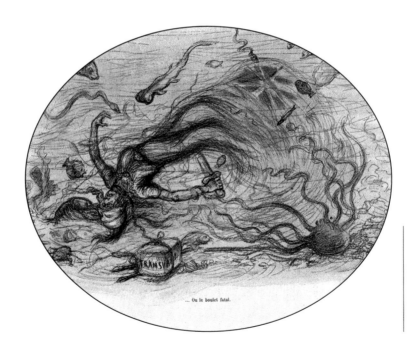

... Ou le boulet fatal.

Albion, reine des mers ou le boulet fatal, *La Vie pour Rire*, 22 mars 1902

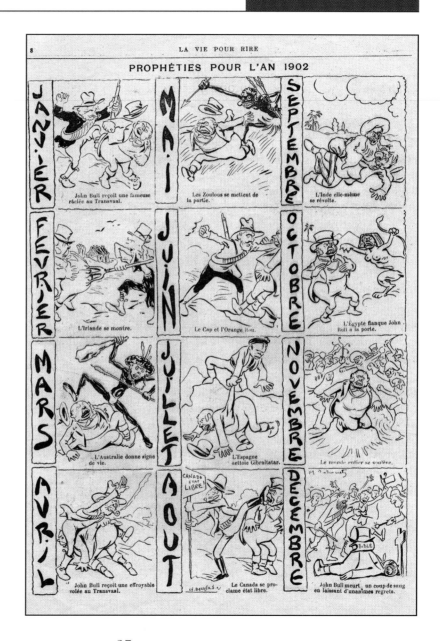

Prophéties pour l'an 1902, *La Vie pour Rire,* 22 mars 1902

LA CONVENTION FRANCO-BRITANNIQUE DE JUIN 1898

La convention franco-britannique signée à Paris, le 14 juin 1898, par Gabriel Hanotaux, ministre des Affaires étrangères de la République française, et Edmund Monson, ambassadeur du Royaume-Uni en France, a pour objet de confirmer le protocole et ses quatre annexes préparés par les délégués français et britanniques, en exécution des déclarations échangées à Londres les 5 août 1890 et 15 janvier 1896, pour délimiter les possessions françaises et britanniques en Afrique centrale.

Ce protocole, dont le texte est inclus dans la convention, comprend neuf articles dont les cinq premiers portent sur la délimitation des frontières. La plupart des articles reprennent et complètent les dispositions prévues par des arrangements ou rapports de commissions antérieurs. Ainsi, la frontière séparant les colonies françaises de la Côte-d'Ivoire et du Soudan partira du point terminal nord de la frontière déterminée par l'arrangement franco-anglais du 12 juillet 1893. La frontière définie entre la colonie française du Dahomey et la colonie anglaise de Lagos, délimitée sur le terrain par la commission franco-anglaise de délimitation de 1895 et décrite par le rapport signé, le 12 octobre 1896, par les commissaires des deux nations, sera désormais reconnue comme

la frontière séparant les possessions françaises et britanniques de la mer au nord du 9e degré de latitude N. À l'est du Niger, la frontière séparant les possessions françaises et britanniques suivra la ligne indiquée sur la carte n°2 annexée au protocole. Des commissaires seront désignés pour établir sur place les lignes de démarcation entre les possessions françaises et britanniques.

Les deux puissances s'engagent à traiter avec bienveillance les chefs indigènes passant d'une souveraineté à l'autre et prennent également l'engagement de n'exercer aucune action politique dans les sphères d'influence de l'autre. Elles ne pourront y conclure des traités, y accepter des droits de souveraineté ou de protectorat.

Le dernier article, relatif à l'entrée en vigueur de la convention, prévoit que, pendant un délai de trente ans, les citoyens et protégés français et les sujets et protégés britanniques jouiront, tant pour leurs personnes que pour leurs biens, du même traitement en matière de navigation fluviale, de commerce, de régime douanier et fiscal.

La convention est ratifiée par la reine Victoria le 21 mars 1899 et les instruments de ratification sont échangés le 12 juin suivant.

Grand sceau
en cire jaune
de la reine Victoria
appendu à l'instrument
de ratification anglais
de la convention
franco-britannique
du 14 juin 1898

LA CONVENTION FRANCO-ANGLAISE VUE PAR LA PRESSE FRANÇAISE

Fondé en 1863 par Moïse Polydore Millaud, *Le Petit Journal* est à l'origine d'une révolution dans la presse. L'idée de son fondateur est que, pour bénéficier d'un tirage important, ce journal doit être accessible au plus grand nombre et toucher les couches populaires. Aussi est-il indispensable qu'il soit aussi bon marché que possible et qu'il relate les faits de manière aisément compréhensible. L'objectif de Millaud est largement atteint puisque, à la fin du XIXᵉ siècle, grâce à un réseau de distribution de 20 000 points de vente, *Le Petit Journal* fait partie, avec *Le Petit Parisien*, *Le Matin* et *Le Journal*, des quatre journaux qui tirent à un million d'exemplaires. Ces quotidiens, dont l'influence est plus faible que celle des journaux d'opinion, soutiennent l'armée, l'expansion coloniale, professent la haine de l'Allemagne et réclament le retour de l'Alsace-Lorraine à la France.

L'article consacré à la convention franco-anglaise dans le numéro du 9 avril 1899 met en avant que, même si cet accord se révèle plus favorable au Royaume-Uni qu'à la France, il a le grand mérite de mettre fin aux tensions entre les deux puissances et de faire taire les armes.

« *Grâce aux efforts de M. Paul Cambon, secondé avec quelque bonne volonté par Lord Salisbury, une entente est intervenue dont nous tirerons certains avantages. Les Anglais y gagnent assurément beaucoup plus que nous ; mais, de même qu'un mauvais arrangement vaut mieux qu'un bon procès, de même une médiocre convention est préférable à une bonne guerre, si tant est qu'il en soit de bonnes à l'exception de celles que l'on entreprend pour venger l'honneur de la patrie. Quoi qu'il en soit et en attendant que l'avenir et l'expérience donnent au nouveau traité sa véritable valeur, M. Paul Cambon, représentant de la France, M. Salisbury, ministre d'Angleterre, ont servi la cause de la civilisation et de l'humanité en imposant définitivement silence aux canons.*

Notre carte d'Afrique montre la délimitation des zones d'influence française et anglaise dans l'Afrique centrale, d'après l'arrangement du 21 mars 1899. La convention franco-anglaise abandonne à l'Angleterre tout le Bahr el-Ghazal et le bassin du Haut-Nil jusqu'aux possessions de l'Afrique orientale anglaise. La France se réserve les territoires du Ouadaï, du Baguirmi, de Kanem, à l'est et au nord du lac Tchad. Ainsi les communications de nos possessions du Congo et du Haut-Oubangui sont maintenant assurées avec le Soudan et l'Algérie… »

La convention
franco-anglaise,
Paul Cambon
et Lord Salisbury,
Le Petit Journal,
9 avril 1899

CARTE DES POSSESSIONS FRANÇAISES ET BRITANNIQUES EN AFRIQUE

À la veille des accords franco-britanniques de 1904, l'Afrique est le principal champ d'affrontement des impérialismes coloniaux. La colonisation britannique procède selon un axe nord-sud à partir de points d'appui stratégiques situés sur la route des Indes, à Suez et au Cap. La France s'est avancée d'ouest en est à partir de possessions héritées de l'histoire, au Sénégal, en Côte-d'Ivoire et en Algérie. Si, en 1904, l'Angleterre occupe déjà l'Égypte depuis 1882, il n'en est pas de même pour la France au Maroc. Elle convoite ce royaume encore indépendant et l'Entente cordiale lui permet d'y accroître son influence. En compensation des droits de pêche abandonnés à Terre-Neuve, la France s'efforce en vain d'obtenir la Gambie britannique qui lui permettrait de former un territoire homogène du Sénégal à la Guinée. Elle obtient en contrepartie les îles de Los, au large de la Guinée, et une bande de territoire au nord du Nigeria britannique.

L'Afrique et le Moyen-Orient en 1904

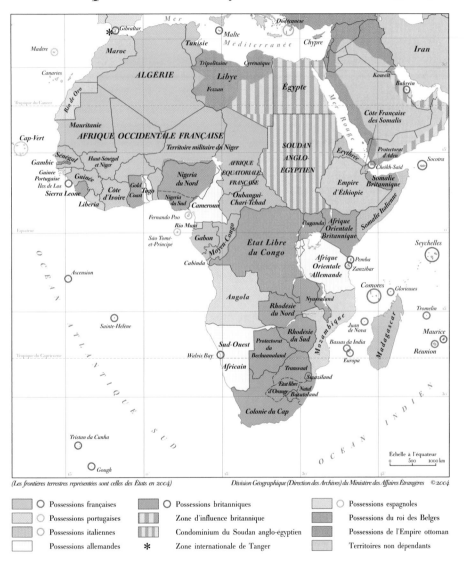

(Les frontières terrestres représentées sont celles des États en 2004)   Division Géographique (Direction des Archives) du Ministère des Affaires Étrangères © 2004

Possessions françaises
Possessions portugaises
Possessions italiennes
Possessions allemandes

Possessions britanniques
Zone d'influence britannique
Condominium du Soudan anglo-égyptien
* Zone internationale de Tanger

Possessions espagnoles
Possessions du roi des Belges
Possessions de l'Empire ottoman
Territoires non dépendants

CARTE DES POSSESSIONS FRANÇAISES ET BRITANNIQUES EN ASIE DU SUD-EST

L'Asie du Sud-Est est le second théâtre d'affrontement entre les empires français et britannique avec la proximité des Indes, « Joyau de la Couronne » pour les Anglais, et dont Victoria est l'impératrice depuis 1877, et de l'Indochine, réunie en une union par les Français en 1887. À la différence de l'Afrique, les deux pays ne revendiquent pas d'intérêts dans les territoires de l'autre, mais cherchent à assurer leur contrôle d'un espace tampon. Le Siam, resté indépendant, est convoité par les deux puissances, qui s'entendent en 1904 pour s'y attribuer des zones d'influence situées dans les régions limitrophes de leurs possessions. À la différence de la situation qui prévaut en Afrique, l'Allemagne n'est pas en mesure de troubler le jeu en Asie du Sud-Est, et l'Angleterre s'est déjà assuré un allié régional de poids en traitant avec le Japon en 1902.

L'Asie du Sud-Est en 1904

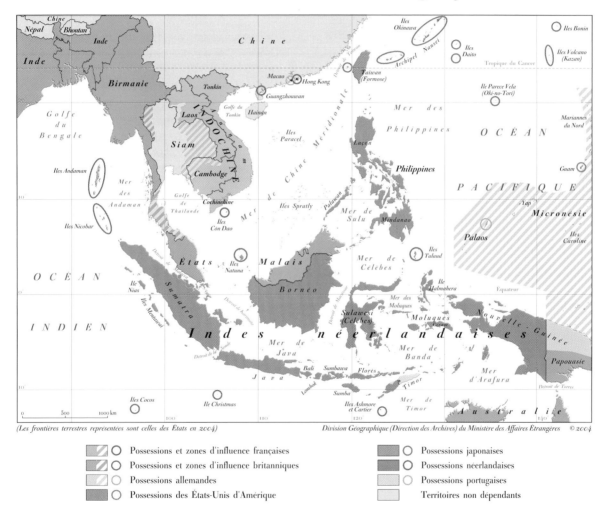

(Les frontières terrestres représentées sont celles des États en 2004)

Division Géographique (Direction des Archives) du Ministère des Affaires Étrangères   © 2004

- ○ Possessions et zones d'influence françaises
- ○ Possessions et zones d'influence britanniques
- ○ Possessions allemandes
- ○ Possessions des États-Unis d'Amérique
- ○ Possessions japonaises
- ○ Possessions néerlandaises
- ○ Possessions portugaises
- Territoires non dépendants

CARTE DES POSSESSIONS FRANÇAISES ET BRITANNIQUES EN OCÉANIE

Le Pacifique est une ancienne zone de rivalité franco-britannique où les deux puissances ont déjà acquis au XIXe siècle de nombreux archipels et les colonies de peuplement importantes que sont la Nouvelle-Calédonie, et surtout, l'Australie et la Nouvelle-Zélande auxquelles la Grande-Bretagne accorde respectivement, en 1901 et 1907, l'autonomie interne. Dès lors, ces deux dominions expriment leurs propres revendications impériales, car les richesses minérales de la région attisent les ambitions allemandes, mais aussi japonaises et américaines. Australiens et Néo-Zélandais réclament avec vigueur la totalité des Nouvelles-Hébrides, alors que la métropole britannique penche pour le compromis. Aussi les accords de 1904 créent-ils un condominium franco-britannique sur l'archipel.

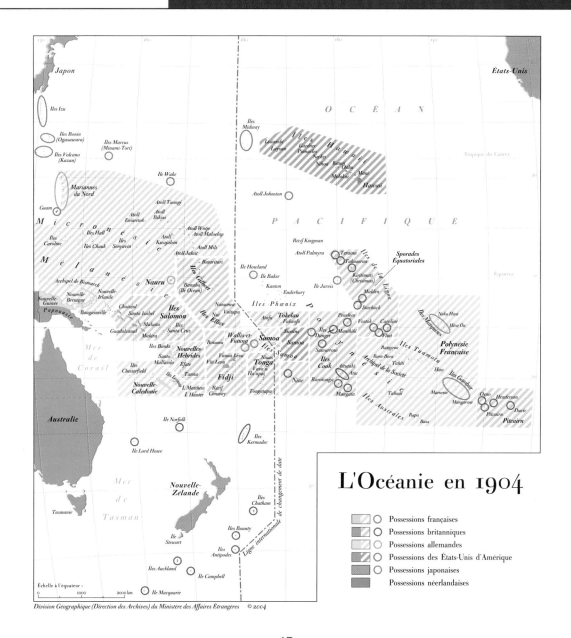

L'Océanie en 1904

		Possessions françaises
		Possessions britanniques
		Possessions allemandes
		Possessions des États-Unis d'Amérique
		Possessions japonaises
		Possessions néerlandaises

Division Géographique (Direction des Archives) du Ministère des Affaires Étrangères   © 2004

Carte de l'Amérique et de l'Atlantique en 1904

Dans la plus ancienne zone d'affrontement colonial entre la France et la Grande-Bretagne remontant au XVIIe siècle, les désaccords entre les deux puissances ne portent pas sur des territoires, mais sur des intérêts économiques, principalement des droits de pêche, essentiellement dans l'Atlantique nord. Au traité d'Utrecht en 1713, la France a conservé le privilège de pêcher dans les riches eaux de Terre-Neuve et d'y accoster pour traiter le poisson. Devenu un dominion doté de son propre gouvernement, tout comme le Canada, Terre-Neuve revendique et obtient la renonciation de ces droits accordés aux pêcheurs français. C'est la disposition la plus difficile à appliquer des accords franco-britanniques, d'autant qu'elle a été énergiquement contestée dans les ports français.

L'Amérique et l'Atlantique en 1904

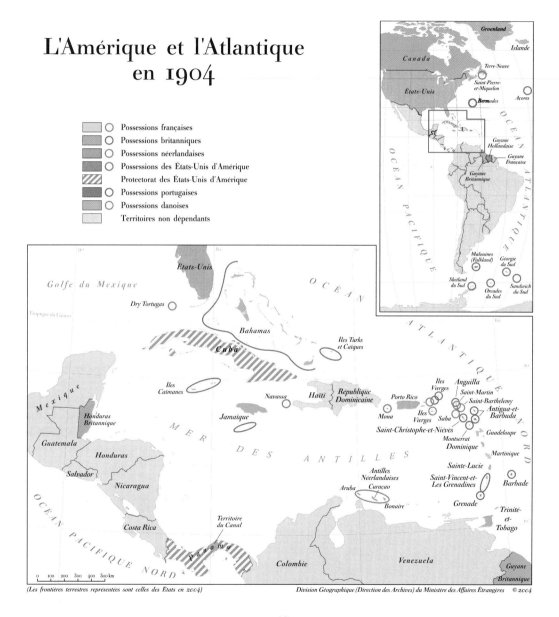

- ○ Possessions françaises
- ○ Possessions britanniques
- ○ Possessions néerlandaises
- ○ Possessions des États-Unis d'Amérique
- Protectorat des États-Unis d'Amérique
- ○ Possessions portugaises
- ○ Possessions danoises
- Territoires non dépendants

(Les frontières terrestres représentées sont celles des États en 2004)

Division Géographique (Direction des Archives) du Ministère des Affaires Étrangères © 2004

LA VISITE DU ROI À PARIS VUE D'ANGLETERRE

Cette dépêche signée du chargé d'affaires à Londres Louis Geoffray rapporte avec satisfaction les commentaires de la presse britannique sur le voyage du roi Édouard en France, du 1er au 4 mai 1903, et sur l'accueil qui lui a été réservé. Il analyse l'atmosphère politique anglaise que ces articles paraissent refléter. Commenter les journaux est un exercice auquel les diplomates français de l'époque se livrent régulièrement, parfois en généralisant les sentiments exprimés dans un billet particulier.

Le séjour parisien d'Édouard en mai 1903 est une de ses idées personnelles. Il s'agit de conclure une croisière au Portugal et en Italie, alliés anciens de la Grande-Bretagne, par un passage en France. C'est d'abord à son ami intime, l'ambassadeur du Portugal à Londres, Soveral, que le roi s'est ouvert de son projet. Consulté, le gouvernement Balfour voit là l'occasion de permettre au roi une fonction de représentation publique qu'il revendique énergiquement, et de sonder l'état de l'opinion tant française que britannique. Geoffray constate que les articles de presse « *devinrent de plus en plus chaleureux, presque dithyrambiques, lorsque, les fêtes de Paris ayant commencé, on constata l'accueil aimable d'abord, presque enthousiaste ensuite, fait au roi d'Angleterre* ». Selon Geoffray, ces articles reflètent une évolution de l'opinion publique britannique « *qui l'a imposée aux journaux* ». Ainsi la francophilie exprimée par les Anglais serait-elle le corollaire d'une germanophobie de plus en plus marquée. Ce n'est pas la dernière fois que les diplomates français estiment que l'Entente cordiale est liée au degré d'hostilité entre la Grande-Bretagne et l'Allemagne. Ce jugement est répandu avant même la conclusion des accords d'avril 1904 et la réception hostile qui leur est donnée en Allemagne.

Dépêche
de Louis Geoffray,
ministre de
France à Londres,
à Théophile
Delcassé,
9 mai 1903,
sur la visite du roi
en France
et les réactions
de la presse
britannique

Ambassade de France
en Angleterre.

Londres le 9 Mai 1903

256

DIRECTION POLITIQUE.
No. 138

DIRECTION POLITIQUE
POLITIQUE
11 MAI 1903

DIRECTION POLITIQUE
Classement
Série A Carton 57 Dossier 3

La visite du Roi en France et la
presse britannique.

Monsieur Geoffray Ministre de France
à Londres

à Son Excellence Monsieur Delcassé Ministre des
des Affaires Etrangères.

L'annonce de la visite du Roi d'Angleterre en France
faite à la veille du jour où celui-ci quittait son Royaume,
avait été bien accueillie par la presse britannique tant
conservatrice que radicale. Cette manifestation était approu-
-vée par tous et en effet, en ce qui concerne l'opinion publique
anglaise, elle venait au bon moment. Cette Ambassade a suivi
dans sa correspondance le développement des sentiments anti-
allemands dans le Royaume Uni ; les affaires du Vénézuela ne
sont pas prés d'étre oubliées et celle du chemin de fer de
Bagdad est venue donner un nouveau prétexte aux déclarations
passionnées des germanophobes . La France reste ici l'advers-
-aire indiquée de l'Allemagne et nous profitons toujours de
ce qu'elle perdra en popularité .

LE ROI SE REND À L'OPÉRA DE PARIS

Le supplément illustré du *Petit Journal* du 10 mai 1903 présente un moment fort de la visite du roi Édouard VII à Paris la semaine précédente, son arrivée en compagnie du président de la République à un spectacle de l'Opéra. L'illustrateur montre une scène fastueuse qui caractérise bien des rencontres franco-britanniques dans le cadre de l'Entente cordiale : le roi, en uniforme de maréchal, accompagné du président en habit, est entouré de la Garde républicaine et des dignitaires en uniforme. Une ritournelle parisienne de l'époque, s'adressant familièrement au roi, l'enjoint de ne pas se soucier du cérémonial, car « *Mollard* [chef du Protocole] *a tout prévu !* » Le soir du 2 mai, le roi assiste d'abord à un dîner en son honneur au palais de l'Élysée. Dans son toast, le souverain britannique, parlant sans notes, souligne son affection de longue date pour Paris. Il confie ensuite son espoir d'une amélioration prochaine des relations entre les peuples de France et de Grande-Bretagne. La réponse du président Loubet l'amuse beaucoup, car le chef de l'État, pour ne pas avoir à tenir la feuille de son discours, l'a épinglée sur un chandelier posé sur la table devant lui et doit se pencher fréquemment pour la lire ! Édouard VII et Émile Loubet se rendent ensuite à l'Opéra pour assister à une représentation de gala. La veille, comme le roi arrivait de la gare du Bois de Boulogne, certains badauds criaient encore « *Vive Marchand !* » et « *Vivent les Boers !* », obligeant le ministre Delcassé à détourner l'attention du roi en s'écriant : « *Quel enthousiasme !* » Le soir, le roi s'est rendu à la Comédie-Française. À la représentation du *Misanthrope*, il a préféré une pièce nouvelle, *L'Autre Danger*, de Maurice Donnay. L'accueil des spectateurs n'a pas été chaleureux. Aussi, à l'entracte, le roi s'est-il promené seul parmi eux en les saluant poliment et en adressant un compliment à l'actrice Jeanne Granier, à qui il dit qu'elle représente « *toute la grâce et l'esprit de la France* ». Ces propos sont amplement reproduits par la presse parisienne le lendemain.

L'effort d'amabilité du roi s'est avéré payant, car en se rendant à l'Opéra les voitures des deux chefs d'État sont assaillies par une foule de Parisiens criant : « *Good old Teddy !* », « *Vive Édouard !* », « *Notre bon Édouard !* » En repartant après minuit, la foule est encore très importante et en aussi bonne disposition.

Le roi
d'Angleterre
en France,
représentation
de gala à l'Opéra,
Le Petit Journal,
10 mai 1903

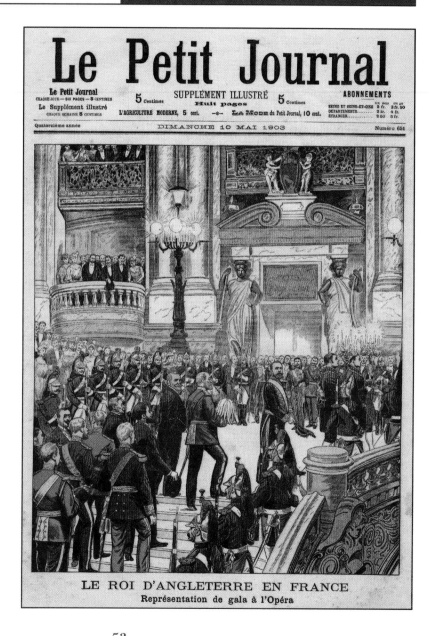

LE ROI D'ANGLETERRE EN FRANCE
Représentation de gala à l'Opéra

ENTREVUE DU ROI ET DU PRÉSIDENT À L'ÉLYSÉE

Noël Dorville a représenté une scène qui se produit en mai 1903 au moment de la visite du roi Édouard VII à Paris. Elle se répète encore à l'occasion des séjours privés que le roi fait annuellement jusqu'à sa mort en 1910. Le roi aime vivre incognito à Paris, mais le gouvernement français ne manque pas de l'entourer de prévenances, ainsi que d'une discrète surveillance policière. Même en visite officieuse, le roi d'Angleterre aime néanmoins à se rendre à pied de sa résidence, soit son ambassade de la rue du Faubourg-Saint-Honoré, soit, plus souvent, un grand hôtel près de la place Vendôme, jusqu'à l'Élysée pour y saluer le président de la République. Les journaux relatent qu'ensuite, suivant le protocole, le président va rendre sa visite au roi en sa résidence, quelquefois à peine une demi-heure après que le roi a pris congé ! L'opinion publique française en conclut que les échanges entre les deux chefs d'État portent sur des sujets éminemment graves et sérieux.

Cependant, le roi, en monarque constitutionnel, n'a pas mandat pour déterminer la politique étrangère de son gouvernement. Édouard VII n'en aime pas moins se donner de l'importance. Projetant sa visite à Paris, il fait dire au Premier ministre Arthur Balfour et à Lord Lansdowne, ministre des Affaires étrangères, qu'il considère ce voyage comme une affaire privée. Il ne souhaite donc pas être accompagné par un membre du Cabinet. Le roi tient à n'être assisté que par Sir Charles Hardinge, un diplomate de ses amis à l'étoile montante, successivement ambassadeur à Saint-Pétersbourg, puis sous-secrétaire permanent du Foreign Office de 1906 à 1910, et chaud partisan de l'Entente cordiale. Balfour et Lansdowne doivent s'incliner. En revanche, ils ne s'opposent pas à ce que, lors de la conversation représentée ici, le roi confie le sentiment que son gouvernement s'accommoderait du rôle prépondérant que la France ambitionne de jouer au Maroc. Le gouvernement français est ainsi convaincu d'entreprendre des négociations suivies avec son homologue britannique.

L'entrevue esquissée par Noël Dorville est certainement officielle, car le roi a revêtu l'uniforme pour être reçu par Émile Loubet dans le salon doré du palais de l'Élysée, et malgré la solennité du moment, le roi s'est penché pour se rapprocher amicalement de son hôte. Le texte rappelle que le mois précédent, lors de la tournée de Loubet en Algérie, le roi avait fait envoyer plusieurs bâtiments britanniques pour lui rendre les honneurs en rade d'Alger.

ENTREVUE PRIVÉE DANS LE SALON DORÉ DE L'ÉLYSÉE

III

Conclusion de l'Entente

❖

VOYAGE D'ÉDOUARD VII EN FRANCE

ENUS à Alger pour apporter au Président de la République française le salut du roi d'Angleterre, l'amiral Curzon Howe et les officiers de son escadre étaient reçus par M. Loubet, qui, très sensible à la délicate attention d'Édouard VII, marquant par l'envoi de « quatre des plus beaux échantillons de la puissante marine britannique ses sympathies pour la France », leur disait : « Je pense que dans quinze jours le Roi sera satisfait de la réception que lui prépare la population parisienne. »

C'est la France dans son ensemble qui se chargea de faire honneur à l'engagement pris en son nom par le Président.

Assurément l'annonce d'un voyage officiel du roi d'Angleterre à Paris n'avait pas été sans causer quelque surprise et même une certaine émotion. La vigilance inquiète des partis n'avait eu garde de laisser échapper une aussi belle occasion de faire appel contre le gouvernement de la République à tous les souvenirs irritants qu'ils jugeaient de nature à indisposer l'opinion et à surexciter les susceptibilités ombrageuses d'un patriotisme faussement alarmé par une campagne qu'on eût pu taxer de criminelle, si elle n'eût été avant tout ridicule. Il sembla, au contraire, que tous les efforts tentés pour détourner le peuple de Paris de toute participation effective aux hommages que la République se disposait à rendre à Édouard VII, stimulaient le désir de témoigner avec plus d'ardeur la courtoisie

Entrevue privée dans le salon doré de l'Élysée entre Édouard VII et le président Loubet, dans l'ouvrage *Livre d'or de l'Entente cordiale*, Paris-Bordeaux, éd. G. Gounouilhou, 1908

LE ROI ET LE PRÉSIDENT ASSISTENT À LA REVUE DE VINCENNES

La visite d'un souverain étranger à la République française était commémorée auprès du public non seulement par la presse illustrée, mais également au moyen de cartes postales dont voici un exemple. La photographie représente un autre temps fort de la visite d'Édouard VII à Paris, prise lors d'une grande revue militaire à Vincennes le matin du 2 mai 1903. Les visites de monarques amis permettaient à la République de mettre en valeur ses forces armées. Le tsar Nicolas II, venu en 1901, avait ainsi assisté à une telle revue, et c'était aux yeux des Français un événement très symbolique qu'un monarque se lève au moment où la fanfare jouait la *Marseillaise*, pour ensuite saluer militairement les couleurs des régiments défilant devant eux.

Le 2 mai cependant, Édouard VII porte la tenue civile et le chapeau haut-de-forme comme le président Loubet, car après la revue, ils doivent se rendre aux courses de Longchamp. Le roi d'Angleterre s'intéresse vivement à son armée et à sa marine, leur réforme étant l'un des thèmes politiques essentiels de son règne. À l'issue de la guerre des Boers, l'armée britannique refond sa doctrine et ses équipements au terme de plusieurs enquêtes menées par une commission royale. Quant à la *Royal Navy*, elle s'efforce alors de maintenir le *Two power standard*, sa suprématie face à la nouvelle flotte allemande, lançant de grands cuirassés et se concentrant dans les eaux européennes. Le roi encourage ces initiatives. C'est donc en connaisseur qu'il vient assister à une revue de l'armée française où défilent 18 000 hommes.

Le photographe a saisi l'instant où le roi et le président s'entretiennent avec un officier français chargé de coordonner la cérémonie. En revenant de cette revue, les foules parisiennes commencent à manifester leur chaleur au roi. Il tient à s'arrêter en route à l'Hôtel de Ville, et flatte les conseillers municipaux en déclarant qu'il se sent toujours « chez lui » à Paris. À Longchamp, le roi goûte fort les courses dont l'une, le Prix Persimmon, porte le nom de son cheval vainqueur au Derby. L'un des vainqueurs des courses du 2 mai s'appelle par ailleurs John Bull. Mais le roi se trouve un peu lassé d'être assis entre Mme Loubet et l'épouse du gouverneur militaire de Paris, et charge son secrétaire de faire demander à l'un de ses amis du Jockey Club de l'inviter à voir leurs nouveaux locaux. Usant de ce prétexte, Édouard VII assiste encore à une course, probablement en compagnie plus plaisante !

Visite du roi Édouard VII à Paris : le roi
et le président de la République
assistent à une revue à Vincennes,
2 mai 1903
(carte postale, Léon Bouet)

CÉRÉMONIAL DE LA VISITE DU PRÉSIDENT LOUBET EN ANGLETERRE

La visite du président de la République à Londres était le premier voyage d'un chef d'État français en Grande-Bretagne depuis de longues années. S'agissant d'un voyage officiel, à la distinction de la visite du roi Édouard VII que le souverain avait souhaité considérer comme privée, un protocole élaboré a été préparé.

On voit ici un document britannique, portant en en-tête les armes du Royaume-Uni, spécifiant la date et l'heure d'arrivée du président et précisant quels seraient les participants aux cérémonies d'accueil. Celles-ci ont été conçues pour marquer de très grands égards à Émile Loubet et à son ministre des Affaires étrangères, et ce, bien qu'il ne soit pas un souverain régnant, la France étant la seule des grandes puissances européennes qui soit une république. Le navire présidentiel doit être accueilli devant Douvres par les unités navales présentes, croiseurs et contre-torpilleurs, dont les commandants sont les premiers à rencontrer le président. En débarquant, Émile Loubet est reçu par une importante délégation venue à sa rencontre depuis Londres, menée par l'ambassadeur de France Paul Cambon et par le prince Arthur, duc de Connaught, représentant son frère le roi. Le comte Stanhope, lord-lieutenant du Kent, c'est-à-dire bailli du roi dans ce comté, conduit plusieurs autres personnages appartenant à la Maison du roi, et chargés d'accompagner le président pendant son séjour. Ce groupe comprend les aides de camp naval et militaire d'Édouard VII, ainsi que les attachés militaires britanniques en poste à Paris, le lieutenant-colonel Wortley et le capitaine de vaisseau Ottley. Il faut remarquer que ces deux derniers personnages, qui ont servi à Paris à l'époque de la naissance de l'Entente cordiale, tiennent ensuite des positions importantes au sein du gouvernement britannique, Wortley, comme aide de camp du roi, et Ottley comme secrétaire du Comité de Défense impériale, le conseil restreint de ministres chargés d'élaborer la politique de sécurité de l'Empire britannique.

Visite à Londres
du président
Émile Loubet,
livret du protocole,
6 juillet 1903

9

Ceremonial

VISIT OF THE PRESIDENT OF THE FRENCH REPUBLIC.

6th July, 1903.

The President of the French Republic and Suite will arrive at Dover, *via* Boulogne, on Monday, the 6th July, at 1.15 p.m.

The Admirals and Captains of the Home Fleet Cruiser Squadron, and the Medway Destroyer Flotilla, accompanied by Captain Ottley, R.N., Naval Attaché at Paris, will at once repair on board to pay their official visits.

The President will be received, on landing, by Field-Marshal His Royal Highness The Duke of Connaught and by His Excellency The French Ambassador and Members of the Embassy; also by Earl Stanhope, Lord Lieutenant of the County of Kent, Earl Howe, Lord in Waiting, Vice-Admiral Sir Lewis Beaumont, Major-General Hon. Sir Reginald Talbot, Captain Hon. Seymour Fortescue, R.N., Equerry in Waiting, Lieutenant-Colonel Hon. E. Stuart Wortley, Military Attaché at Paris, and Captain Ottley, R.N., Naval Attaché at Paris, who have been specially appointed by The King to be in attendance on The President during his visit.

As the French vessel approaches the Harbour, salutes will be fired.

PROGRAMME DE LA VISITE À LONDRES D'ÉMILE LOUBET

En 1903, Londres comportait une communauté française d'expatriés déjà notable. En plus des visiteurs français appartenant aux classes aisées, de nombreux artisans, souvent employés dans les services comme la restauration ou la coiffure, ou les industries de luxe, telles que la parfumerie, sont établis dans la capitale britannique. Ils disposent ainsi d'un hebdomadaire bilingue franco-anglais, *La Dépêche de Londres*. Cet organe a été créé précisément en 1903. Les Britanniques de Paris bénéficiaient pour leur part depuis quelques années déjà d'un quotidien, le *Daily Messenger*.

On reproduit ici une édition spéciale du journal français paraissant la veille de l'arrivée du président de la République et de son ministre des Affaires étrangères, invités à rendre la visite que le roi Édouard leur avait faite deux mois auparavant. Ce premier numéro donne le programme « *officiel et complet* » de la visite s'étendant du 6 au 9 juillet 1903. Le portrait officiel du président Loubet est entouré de ceux de ses hôtes, le roi Édouard en uniforme et la reine Alexandra, portant diadème ; et de ceux des représentants de la politique étrangère française, en bas à droite Théophile Delcassé, le ministre des Affaires étrangères accompagnant le président comme le veut la pratique institutionnelle de la IIIe République, et à gauche, l'ambassadeur de France Paul Cambon, en poste à Londres depuis 1898. On remarquera que les portraits de Delcassé et de Cambon les représentent plus jeunes qu'ils ne sont en réalité, Cambon étant âgé de soixante ans, et Delcassé s'étant plaint cinq ans auparavant, lors de la crise de Fachoda, que ses cheveux avaient blanchi en quelques jours. Les portraits sont représentés dans un enchevêtrement de drapeaux britanniques et français, dont les trois couleurs, similaires, se mêlent harmonieusement et non sans symbolisme. Le mot d'ordre de « paix », essentiel à ce stade de l'Entente, figure en bonne position avec des rameaux surmontant le portrait du président, ainsi qu'un « *Welcome* » à l'hôte des Britanniques.

Programme de la visite à Londres d'Émile Loubet, président de la République, *La Dépêche de Londres, organe hebdomadaire franco-anglais*, 5 juillet 1903

Le roi accueille le président à Londres

Émile Loubet et Théophile Delcassé arrivent à Londres le 6 juillet 1903 par le train venant de Douvres où ils ont débarqué pour y être accueillis par l'ambassadeur Paul Cambon et par le duc de Connaught, seul frère survivant du roi Édouard. Comme l'a fait Émile Loubet pour lui à Paris, le roi est venu l'accueillir à Victoria Station, à sa descente du train. Dans la gare pavoisée aux couleurs françaises et avec des écussons portant le monogramme RF, le roi porte l'uniforme de maréchal et est accompagné de George, prince de Galles, que l'on voit derrière lui, également en uniforme. L'expression du roi paraît assez sérieuse, alors qu'on le verra à d'autres moments exprimer plus de chaleur.

La visite du président de la République avait cependant donné lieu à quelques âpres discussions de protocole. En arrivant de Douvres, Émile Loubet porterait naturellement un habit de jour, mais pour être reçu ultérieurement à Buckingham Palace, le roi lui avait fait savoir, avant qu'il ne quitte Paris, qu'il devrait porter pour cette occasion la culotte et les bas. Par l'intermédiaire de Paul Cambon, le président manifesta vivement son refus, ce vêtement étant largement passé de mode en France et, qui plus est, pour les républicains, associé au protocole de cour du Second Empire. Le roi d'Angleterre ne voulut pas en démordre et parut même s'en irriter, mais Loubet demeura ferme, de même que Delcassé et Cambon, dont l'objectif était bien de mettre en valeur la personne du président de la République française. On put, avec l'aide du Foreign Office, persuader le roi de permettre au président de se rendre au Palais en une tenue de soirée plus moderne. Le public londonien s'était massé dans les rues et acclama vivement les visiteurs français. L'historien français Élie Halévy, alors en visite à Londres, aperçut le roi Édouard et Loubet parcourant les rues, et écrivit d'un ton amusé à sa mère que *« le roi, avec son uniforme rouge, paraissait être le portier d'un grand hôtel ; Loubet avait l'air d'être son ami, le cuisinier français du même hôtel, en habit de soirée »*. Halévy en conclut que l'aspect bourgeois des représentants français tranchait nettement avec les uniformes voyants des princes britanniques et de leurs officiels.

Le roi Édouard VII
souhaite la bienvenue
au président Loubet,
dans l'ouvrage
*Livre d'or
de l'Entente cordiale*,
Paris-Bordeaux,
éd. G. Gounouilhou,
1908

M. LOUBET EST ACCUEILLI AU GUILDHALL DE LONDRES

De même que le roi Édouard s'est rendu à l'Hôtel de Ville de Paris, le président Loubet est accueilli, pendant son séjour à Londres, par les autorités municipales au Guildhall, leur siège dans la City, à l'occasion d'un brillant banquet. Le supplément illustré du journal français *Le Petit Parisien* a représenté cette scène pour ses lecteurs, illustrant ici les remarques d'Élie Halévy sur l'aspect très différent des visiteurs français et des officiels britanniques chargés de les recevoir. Ainsi, même les laquais sont brillamment vêtus à la mode ancienne. Les représentants de la République n'étaient pas fâchés en cette occasion qu'une monarchie déploie son faste et son sens de la tradition, honneur insigne conféré à la République française dont l'isolement diplomatique après la guerre de 1870 a été pénible.

Sur cette scène, on aperçoit le président Loubet, toujours en sobre habit de soirée avec le grand cordon de la Légion d'honneur, suivi du ministre Delcassé. Le président est accompagné d'un aide de camp français, mais aussi des attachés militaire et naval de Grande-Bretagne à Paris. Au portail du Guildhall, le lord-maire de Londres James Ritchie, portant chaîne et robe ouvragée, accueille ses invités, suivi d'officiels emperruqués dont l'un tient la masse d'armes, emblème du conseil municipal. Plusieurs *policemen* sont aussi présents pour veiller à la sécurité du président de la République. La joie du lord-maire de recevoir Émile Loubet au Guildhall n'est pas feinte, car, comme le signale malicieusement Paul Cambon dans sa correspondance, il était d'usage que le lord-maire reçût un titre de noblesse à l'occasion de la visite d'un chef d'État. En réalité, le roi Édouard s'est montré réticent à conférer de tels titres et décorations, alors qu'il en avait remis plusieurs lors de son séjour à Paris. Il fait savoir au Premier ministre Balfour qu'il souhaite établir une différence entre un chef d'État républicain et une « *tête couronnée* ». Balfour répond que « *M. Loubet n'est pas de naissance royale ; mais il va être reçu comme le chef d'une grande nation… il va faire une visite d'État à la City comme s'il était un prince régnant* ». En définitive, le lord-maire reçoit bien le titre de *baronet*.

Voyage du président
de la République
à Londres, arrivée
de M. Loubet
au Guildhall,
Le Petit Parisien,
19 juillet 1903

Voyage du Président de la République en Angleterre

ARRIVÉE DE M. LOUBET AU GUILDHALL

Le banquet du Guildhall en l'honneur du président Loubet

Le banquet était une institution républicaine bien en vue, et l'un des grands moments du septennat d'Émile Loubet avait été d'accueillir tous les maires de France pour célébrer la première année du XXe siècle. Des banquets avaient figuré également au programme de la visite du roi Édouard à Paris en mai 1903, et le président Loubet a assisté à son tour à un grand dîner donné par le roi à Buckingham Palace. Il s'agissait néanmoins d'un événement très fermé. Aussi est-ce le banquet offert par le lord-maire et la City que les illustrateurs du *Petit Journal* ont présenté au public français. Le faste ne semble en effet pas moindre que celui du palais royal, dans la grande salle de réception au décor gothique du Guildhall. Pour la circonstance, les drapeaux tricolores encadrent les couleurs britanniques. L'assistance est fort nombreuse et brillamment vêtue : convives en uniforme ou en habit, dames en grande toilette, membres du conseil municipal portant robes et chaînes de fonction ; on aperçoit aussi des juges et des avocats portant leurs perruques distinctives. La scène représente l'échange des toasts, alors que le président Loubet répond à celui du lord-maire se tenant à sa gauche. Le chef de l'État est à la place d'honneur, réservée au souverain lorsqu'il est reçu par la City pour un banquet annuel, sous un dais frappé des armoiries du royaume. Aux côtés du lord-maire, on reconnaît le prince et la princesse de Galles. Toute l'assistance s'est levée pour accompagner le toast du président remerciant les Londoniens de la chaleur de leur accueil. La ville a pavoisé, notamment les grandes rues commerciales où passent les cortèges. Des banderoles s'adressent personnellement au président, lui souhaitant bienvenue et longue vie, et portant parfois le nom de Marsanne, son village natal de la Drôme auquel les Britanniques savent qu'il est très attaché.

Même si les banquets paraissent des circonstances trop formelles pour conduire des négociations, ils sont l'occasion pour les visiteurs français de rencontrer leurs homologues britanniques les plus importants. Ainsi, à la réception de Buckingham, Paul Cambon s'était arrangé pour que Delcassé prît place aux côtés du ministre britannique des Colonies, Joseph Chamberlain, considéré comme l'un des ministres les plus influents.

Voyage du président
de la République
à Londres, le banquet
au Guildhall,
Le Petit Journal,
12 juillet 1903

Dépêche de Paul Cambon rendant compte de ses entretiens avec Lansdowne

Trois semaines après la visite de Loubet et de Delcassé à Londres, Paul Cambon a rédigé cette dépêche à l'intention de son ministre. Il y rend compte des premiers entretiens en vue de la négociation d'un accord franco-britannique, dont le principe a été décidé pendant l'entrevue de Delcassé et de Lansdowne. Cambon est allé entre-temps prendre des instructions à Paris. Il en a donné verbalement certaines au ministre britannique, et d'autres sous forme de notes dictées par Delcassé et qu'il a cru bon de montrer à Lansdowne. La conversation a porté essentiellement sur le Maroc, Lansdowne soulignant qu'un véritable traité ne serait pas nécessaire, une note ou une déclaration suffirait.

Il rappelle l'importance d'arriver à un arrangement franco-espagnol dans ce même cadre, et que la question de la fortification des côtes devrait être soumise aux experts de l'Amirauté britannique. On constate surtout à quel point, dès juillet 1903, les principes de l'Entente concernant le Maroc paraissent déjà bien définis et admis de part et d'autre. Aussi Cambon accepte-t-il, à défaut de remettre ses notes au ministre, de les lui résumer par la voie d'une lettre privée. Alors que l'accord semble définitif, Lansdowne s'étonne qu'on n'ait pas encore mentionné l'Égypte, puisqu'il semble que la question n'a guère été évoquée par Delcassé. Lansdowne souligne l'importance essentielle de cette question pour son gouvernement. D'autant que le représentant britannique au Caire, Lord Cromer, doit rentrer en Angleterre pour donner son point de vue sur les solutions possibles au désaccord franco-britannique concernant l'Égypte. Sentant que cette question serait celle à laquelle les Britanniques attacheraient le plus de prix, Cambon n'hésite pas à recommander au ministre d'être lui-même plus exigeant quant aux compensations que la France réclamerait.

M. Paul Cambon, Ambassadeur de la République française, à M. Delcassé, Ministre des affaires Étrangères.

J'ai continué avec le Secrétaire d'État pour les aff. Étrang., à sa dernière audience diplomatique, nos entretiens sur le règlement des questions intéressant la France et l'Angleterre. Je lui ai dit que j'avais eu l'honneur de voir V. Exc. peu de jours avant, que Vous considériez l'entente de principe comme établie sur tous les points, notamment sur le Maroc, et je lui ai textuellement répété ce que Vous m'aviez chargé de lui dire quant au mode de procéder avec l'Espagne.

Je lui ai même donné lecture des notes rédigées par V. Exc., en lui disant que je les avais écrites sous votre dictée, qu'elles résumaient votre manière de voir et suggéraient la forme à donner au futur arrangement.

Dépêche de Paul Cambon au sujet des dernières conversations qu'il a eues avec Lord Lansdowne sur l'Égypte et le Maroc, 31 juillet 1903

Lord Lansdowne et les suites du voyage présidentiel à Londres

À l'occasion du voyage présidentiel à Londres, Delcassé et Lansdowne avaient eu un entretien, le 7 juillet, sur les affaires intéressant les deux puissances. Delcassé proposa peu après d'ouvrir une discussion globale au sujet de leurs différends en matière coloniale, faisant du règlement de la question marocaine selon les vues de la France le point de départ des discussions. Les ouvertures françaises furent bien reçues du côté britannique et Édouard VII encouragea son ministre à y donner suite. Il fut prévu que les deux parties échangeraient des mémorandums sur leurs souhaits respectifs.

« *Dear Monsieur Geoffray, Here is the unofficial letter of which I spoke to you yesterday. You may find it convenient to forward it to Monsieur Cambon so that it may reach him before he leaves Paris.* » C'est par cette courte lettre privée que le secrétaire d'État au Foreign Office transmet à Paul Cambon le mémorandum imprimé d'une dizaine de pages, daté du 1er octobre, dans lequel il expose ses vues sur les différentes questions concernant les deux pays en matière coloniale. De manière officieuse et confidentielle y sont évoqués, par ordre d'importance, en commençant par la question du Maroc – liée à celle de l'Égypte –, tous les sujets litigieux : Terre-Neuve, le Siam, les Nouvelles-Hébrides, la frontière du Niger et Madagascar.

La négociation, qui entre dans sa phase active avec la remise de ce mémorandum, se poursuivit plus de six mois de manière ininterrompue et déboucha, grâce à l'habileté de Paul Cambon, sur les accords d'avril 1904. Converti plus tardivement que Delcassé à un règlement général, Lansdowne se montra tout aussi résolu que lui à aboutir. Durant toute cette période, le ministre britannique et Paul Cambon eurent des entretiens privés réguliers, ajustant ensemble leurs propositions avant que le diplomate français n'en réfère à son ministre. L'examen de leur correspondance pendant les six mois cruciaux de la négociation, d'octobre 1903 au début d'avril 1904, permet d'approcher au plus près l'exceptionnelle convergence de vues entre les deux hommes et de mesurer l'habileté de l'ambassadeur de France à Londres, sa liberté dans le jugement et sa franchise dans le ton.

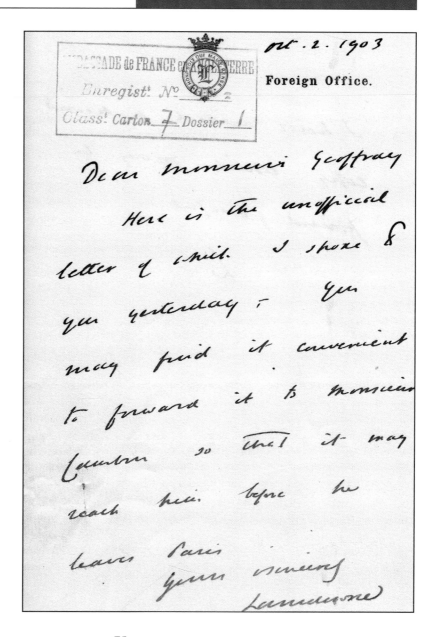

oct. 2. 1903

Foreign Office.

Dear monsieur Geoffray

Here is the unofficial letter of which I spoke to you yesterday — You may find it convenient to forward it to monsieur Cambon so that it may reach him before he leaves Paris

Yours sincerely

Lansdowne

Lettre autographe de Lord Lansdowne, secrétaire d'État au Foreign Office, à Louis Geoffray, chargé d'affaires à Londres, pour la transmission à Paul Cambon du mémorandum britannique, 2 octobre 1903

Portrait du roi Édouard VII d'Angleterre et de la reine Alexandra

Les souverains britanniques apparaissent sur ce portrait dans une image familière aux publics de Grande-Bretagne ou de France à l'époque. Le roi Édouard VII (1841-1910) est monté sur le trône en janvier 1901 à l'âge de 59 ans. Corpulent et bonhomme, il reflète un type de gentleman campagnard, portant l'habit des Highlands écossais que la reine Victoria imposait à toute sa famille lors de leurs longs séjours à Balmoral.

La reine Alexandra (1844-1925), d'origine danoise, est une lady à l'élégance un peu plus austère que celle de son mari dont les goûts mondains, y compris dans le style vestimentaire, sont bien connus. Aristocratiques à souhait et alliés l'un et l'autre à presque toutes les familles monarchiques d'Europe, les souverains bénéficient d'une assez grande popularité héritée en partie de l'image impériale de Victoria, mais aussi de leur propre fait. Pendant la longue attente de la succession, le prince et la princesse de Galles ont contribué à créer l'image moderne de la monarchie britannique, en apportant leur soutien personnel à de nombreuses causes et œuvres charitables.

Le prince, dont les études ont été médiocres, a souvent déçu ses parents Victoria et Albert qui lui ont transmis un profond sens du devoir.

Édouard a souffert d'être peu initié aux affaires par sa mère et les hauts fonctionnaires de la maison royale, alors qu'il souhaitait vivement défendre les prérogatives institutionnelles de la monarchie, ce qui aboutit à des relations parfois difficiles avec les ministres et fonctionnaires, en particulier avec Lansdowne, ministre des Affaires étrangères. Joueur, amateur de courses hippiques et de yachting, Édouard a la réputation d'un homme léger et peu cultivé, volontiers cible des caricaturistes. C'est pourtant un grand voyageur, connaissant assez bien les pays de l'Empire britannique et de l'Europe, habitué des séjours à Paris et à Biarritz où il aime se rendre chaque année. Il s'est fait au fil des ans de nombreuses relations en France.

Alexandra est moins ouvertement francophile, mais a des relations particulièrement froides avec la dynastie impériale allemande, parente d'Édouard. Cette animosité date de la guerre des Duchés (1864) durant laquelle la Prusse a pris le Schleswig-Holstein au Danemark. L'ambassadeur de France Paul Cambon prête aux propos peu amènes d'Édouard et Alexandra sur le Kaiser une attention importante, croyant que ceux-ci reflètent une opinion typique des Britanniques à l'égard de l'Allemagne.

La reine Alexandra
et le roi Édouard VII,
photographie
de Downey,
dans l'ouvrage
*Livre d'or
de l'Entente cordiale*,
Paris-Bordeaux,
éd. G. Gounouilhou,
1908

Portrait du président Émile Loubet

Élu en février 1899 à la suite du décès de Félix Faure, le président Émile Loubet (1838-1929) est fils de paysans, originaire de la région de Montélimar. Il y retourne régulièrement pour rendre visite à sa vieille mère. Maire de sa commune, conseiller général, député de la Drôme, il a été président du Conseil (1892), puis président du Sénat (1896). Républicain modéré, c'est un homme d'État jouissant d'une haute réputation d'intégrité en France et à l'étranger. Les diplomates britanniques ont rappelé à leurs supérieurs, lors de son élection, qu'il a présidé le gouvernement à l'époque des remous politiques de l'affaire de Panama (1892-1893), dont il est sorti avec honneur. Il est donc un type d'homme politique français que ses homologues britanniques considèrent avec confiance et respect, au contraire de bien de ses contemporains. Sa propre bonhomie et sa simplicité de manières reflètent assez le caractère du roi Édouard VII qui l'appréciera toujours beaucoup.

Loubet est chef de l'État au sortir de la crise importante qu'a représenté l'affaire Dreyfus. Il suivra l'entreprise de réhabilitation de l'autorité publique engagée par les deux gouvernements assez longs de Waldeck-Rousseau et de Combes, entre 1899 et 1905. Il accorde une grande confiance personnelle à Delcassé en tant que ministre des Affaires étrangères, et insiste, lors des remaniements gouvernementaux, pour pouvoir continuer à travailler avec lui, ce qui assure au ministre un soutien de poids.

Le président du Conseil Combes, au pouvoir en 1902-1905, définit bien dans ses *Mémoires* les affaires étrangères comme relevant du domaine du ministre et du président de la République. Delcassé, dont les relations avec les combistes sont parfois tendues, en sait gré à Loubet. Le président a un rôle important de représentation lors des cérémonies, souvent fastueuses, ponctuant les entreprises diplomatiques françaises : accueil du tsar, du roi Édouard, des rois d'Espagne et d'Italie ; voyages en Russie, à Londres et à Rome. Bien que son rôle constitutionnel soit restreint, le président Loubet prend donc une part importante à l'exécution de la grande politique de Delcassé et au prestige international qu'acquiert la France en ces années. Le Kaiser lui-même dit souhaiter vivement pouvoir le rencontrer, mais l'occasion ne lui en est pas offerte.

Émile Loubet, président de la République, photographie de Pierre Petit, imprimée par Chassepot, Paris, vers 1900

Portrait de Théophile Delcassé, ministre français des Affaires étrangères (1898-1905)

Théophile Delcassé (1852-1923) a été ministre des Affaires étrangères de la IIIe République de juin 1898 à juin 1905, au sein de quatre gouvernements successifs, une performance politique dans le contexte d'instabilité de l'époque. Cette longévité lui permet de mettre en œuvre une « grande politique » resserrant les liens de la France avec plusieurs puissances européennes, rompant définitivement avec l'isolement diplomatique dans lequel le chancelier allemand Bismarck avait enfermé le pays vaincu en 1871.

Ariégois de milieu modeste, Delcassé est entré en politique par le journalisme, travaillant avec Gambetta sur des sujets de politique étrangère et coloniale. Député radical, patriote ardent, Delcassé soutient une politique coloniale accroissant le prestige de la République, lui permettant de gagner l'amitié, voire l'alliance de puissances européennes à l'exception de l'Allemagne. Champion du groupe colonial à la Chambre, il est d'autant mieux placé pour conclure des arrangements acceptables avec les pays rivaux dans l'entreprise coloniale. Après avoir été ministre des Colonies (1894-1895), Delcassé est appelé au Quai d'Orsay lors de la crise de Fachoda. Il s'emploie d'abord à apaiser les tensions franco-britanniques, puis à la réconciliation. Il renforce l'alliance franco-russe et se rapproche de l'Italie. Le désir du gouvernement britannique d'établir des relations de bon voisinage, éventuellement complétées d'une entente de même nature avec la Russie, vient rencontrer le vœu d'entente de Delcassé qu'il tenait de Gambetta. Tant dans les négociations des accords de 1904 que dans ses efforts pour remédier aux tensions anglo-russes, Delcassé acquiert la confiance des Britanniques, aussi bien des ministres avec lesquels il traite que du roi qui l'appelle « *a true friend* ». Mais Delcassé n'a pas mesuré la susceptibilité allemande face à ses succès diplomatiques et coloniaux, et lorsque Berlin réclame sa démission lors de la première crise marocaine, ses collègues français ne le soutiennent pas, à la grande déception de Londres qui leur prodiguait des encouragements. La démission forcée de Delcassé incite d'ailleurs les Britanniques à renforcer leur coopération politique avec Paris, constituant un tournant décisif dans l'évolution de la nature de l'Entente cordiale. En 1912, en tant que ministre de la Marine, Delcassé négocie avec Winston Churchill un accord de coopération navale qui précipite plus certainement la Grande-Bretagne aux côtés de la France dans un conflit armé contre l'Allemagne. Il redevient ministre des Affaires étrangères (septembre 1914-octobre 1915) et contribue à l'entrée en guerre de l'Italie aux côtés de l'Entente.

Théophile Delcassé, portrait par Noël Dorville, tiré de l'ouvrage *Les Promoteurs de l'Entente cordiale*, éd. G. Gounouilhou, 1909

PORTRAIT DE PAUL CAMBON, AMBASSADEUR DE FRANCE, SIGNATAIRE DES ACCORDS DE L'ENTENTE CORDIALE

Grand serviteur de la République, Paul Cambon (1843-1924) était, avec son frère Jules et Camille Barrère, du petit groupe d'ambassadeurs chevronnés avec qui Delcassé put mener à bien sa politique. Issu de la bourgeoisie parisienne, le futur diplomate aux convictions républicaines solides assiste à la défaite de la France en 1871. Soutenu par Jules Ferry, il entre dans le corps préfectoral et devient un grand commis acquérant une importante expérience outre-mer comme premier résident général en Tunisie. Il est ensuite ambassadeur à Madrid, Constantinople et enfin Londres où l'envoie Delcassé en 1898. Il y reste en poste pendant vingt-deux ans.

Cultivant de nombreuses relations utiles, travailleur infatigable et sourcilleux, l'ambassadeur négocie de façon tenace. Cambon ne se montre pas toujours anglophile de cœur, mais il met toute son énergie à acquérir pour la France la sympathie, puis la coopération politique de l'Angleterre. Son œuvre est d'autant plus importante qu'il peut poursuivre ce but même après le départ de Delcassé. C'est lui qui négocie à Londres les accords du 8 avril 1904 directement avec le ministre des Affaires étrangères britannique Lord Lansdowne, et c'est encore lui qui saisit l'occasion, au moment de la première crise marocaine, de demander à la Grande-Bretagne quelle serait son attitude en cas de guerre franco-allemande.

De 1905 à 1912, face à un gouvernement britannique libéral qui a succédé aux conservateurs, c'est encore principalement Cambon qui consolide le lien d'entente en un lien de partenariat, même et surtout sur le plan militaire. Pourtant, ne comprenant ni le fonctionnement des institutions britanniques ni la vie politique anglaise, Cambon ne reconnaît pas que la sympathie que professent ses interlocuteurs, essentiellement les diplomates, ne constitue pas une promesse politique d'alliance et d'intervention militaire certaine aux côtés de la France. Cette erreur d'appréciation est d'autant plus problématique qu'il est devenu un conseiller diplomatique de premier plan pour les gouvernements français. S'il obtient, fin 1912, du ministre britannique Sir Edward Grey, l'échange de lettres indiquant la volonté des deux gouvernements de se consulter en cas de crise menaçant la paix, il est très effrayé, en août 1914, lorsque Grey lui avoue qu'une majorité de ses collègues, qui décident collégialement, ne se sentaient pas légalement tenus d'intervenir aux côtés de la France. Il faut la violation de la neutralité belge, dont l'Angleterre était garante, pour la porter à mettre en œuvre les dispositions agréées avec Cambon.

Paul Cambon, portrait par Noël Dorville, tiré de l'ouvrage *Les Promoteurs de l'Entente cordiale*, éd. G. Gounouilhou, 1909

PORTRAIT DE PAUL D'ESTOURNELLES DE CONSTANT, DÉPUTÉ FRANÇAIS

Le baron Paul d'Estournelles de Constant (1852-1924) représente un type très différent de promoteurs de la politique d'Entente cordiale. D'abord diplomate, cet aristocrate est entré en politique et devenu député de la Sarthe en 1895. À la Chambre, d'Estournelles de Constant siège parmi les modérés et se fait le héraut de la conciliation internationale et de l'arbitrage. Cette idée est répandue dans les milieux de gauche, mais aussi mise en valeur dans l'esprit de la première conférence de La Haye de 1899, proposée par le tsar Nicolas II. D'Estournelles de Constant y assiste et représente aussi la France à la seconde conférence de 1907. Entre-temps, les risques renouvelés de guerre entre la France et la Grande-Bretagne pour des motifs coloniaux l'ont conduit à souhaiter la mise en place de mécanismes d'arbitrage entre les deux puissances, permettant une résolution pacifique des conflits. Cette cause est épousée par des milieux d'affaires britanniques influents dont les intérêts commerciaux considérables en France sont systématiquement menacés par les crises coloniales. Le porte-parole de ce groupe est Thomas Barclay, avocat d'affaires écossais installé à Paris et président de la Chambre de commerce britannique de Paris. Peu après la tenue de l'Exposition universelle de Paris, Barclay et d'Estournelles entreprennent une campagne auprès des opinions publiques pour un traité d'arbitrage franco-britannique. Très énergique, Barclay obtient le soutien de larges secteurs d'affaires et d'organisations professionnelles au Royaume-Uni, et d'un grand nombre d'hommes politiques tant conservateurs que libéraux, ce qui est essentiel pour l'avenir de l'Entente cordiale.

D'Estournelles a un succès plus modeste auprès de l'opinion et des milieux d'affaires français, mais il s'est associé à un autre aristocrate anglophile connu, le baron Pierre de Coubertin. Leurs efforts respectifs sont accueillis avec sympathie par Delcassé et par Lansdowne et, dans le climat d'amitié prévalant après les visites de 1903, le traité d'arbitrage est signé en octobre 1903. Paul Cambon y reconnaît surtout l'utilité d'illustrer la volonté de bon voisinage des deux pays, sans être convaincu des applications concrètes de cet accord, lequel n'est pas mis en œuvre dans le règlement des contentieux opéré le 8 avril. Si, en 1904, Thomas Barclay est décoré de la Légion d'honneur par la France et est anobli par la Grande-Bretagne, d'Estournelles de Constant, également soucieux de conciliation avec l'Allemagne, se voit attribuer le Prix Nobel de la Paix en 1909.

Baron d'Estournelles de Constant, portrait par Noël Dorville, tiré de l'ouvrage *Les Promoteurs de l'Entente cordiale*, éd. G. Gounouilhou, 1909

Portrait de Lord Lansdowne, ministre britannique des Affaires étrangères (1900-1905), signataire des accords de l'Entente cordiale

Henry Charles Keith Petty-Fitzmaurice, 5e marquis de Lansdowne (1845-1927), descend non seulement d'une famille d'hommes politiques de l'aristocratie anglo-irlandaise, mais est à moitié français par sa mère, Émilie de Flahaut, petite-fille de Talleyrand. Son camarade d'école à Eton, Arthur Balfour, le considère d'ailleurs comme « *toujours un peu français* ». Lansdowne siège parmi les lords libéraux, lorsqu'en 1883 il est rapporteur d'une première étude concernant le percement d'un tunnel sous la Manche. Il rompt en 1886 avec le parti libéral par opposition aux concessions faites aux nationalistes irlandais et obtient des conservateurs de hautes responsabilités aux colonies : gouverneur-général du Canada, vice-roi des Indes, enfin ministre de la Guerre du gouvernement Salisbury (1895-1900). Ce dernier poste s'avère une déception cuisante, car il est jugé responsable des déficiences de l'armée britannique lors des premiers mois de la guerre des Boers. Balfour, neveu du Premier ministre et ministre des Affaires étrangères, Lord Salisbury, le défend et obtient qu'il reprenne le Foreign Office en novembre 1900, pour décharger le vieux Premier ministre. Lansdowne entreprend alors une politique active, tant pour laisser trace de son passage que pour rompre l'isolement britannique survenu lors de la guerre des Boers. Dans le contexte de rivalité avec la France et la Russie, Lansdowne, poussé en cela par Chamberlain, fait des ouvertures à l'Allemagne en 1901. Berlin repousse d'abord l'offre, puis Salisbury exprime son désaccord de principe envers toute alliance en Europe. Lansdowne se contente alors d'une alliance en Extrême-Orient avec le Japon (1902) et d'un réchauffement durable des relations avec les États-Unis, puissance émergente (1903). Chamberlain et Balfour se ralliant au principe d'une entente avec la France, Lansdowne en est le principal négociateur britannique face à Paul Cambon, qui le juge « pas très ingénieux ». Pourtant il se montre habile au marchandage, ne cédant pas à l'importante demande française de cession de la Gambie. La première crise marocaine et la chute de Delcassé le troublent, lui faisant dire que « *l'Entente est cotée bien en dessous de son cours d'il y a quinze jours* ». Il accepte dès lors d'entamer avec la France une coopération politique et militaire et est ravi de voir sa politique poursuivie par les libéraux. En 1911, se retirant de la direction du parti conservateur, il exprime sa satisfaction d'avoir vu l'Entente se consolider. En 1917, toutefois, il approuve le principe d'une paix de compromis avec l'Allemagne.

Le marquis de Lansdowne, portrait par Noël Dorville, tiré de l'ouvrage *Les Promoteurs de l'Entente cordiale*, éd. G. Gounouilhou, 1909

PORTRAIT DE SIR EDWARD GREY, MINISTRE BRITANNIQUE DES AFFAIRES ÉTRANGÈRES (1905-1916)

Comme Delcassé en France, Sir Edward Grey (1862-1933) détient longuement le portefeuille des Affaires étrangères à Londres, de décembre 1905 à décembre 1916. Ceci en fait l'un des plus grands des *Foreign Secretaries* de l'histoire britannique, aussi bien qu'un promoteur essentiel de l'Entente cordiale. Issu d'une grande famille aristocratique du nord de l'Angleterre engagée en politique au parti libéral (un thé célèbre doit son nom à son arrière-grand-père, et son grand-oncle, le second comte Grey, fait voter la première réforme électorale britannique en 1832), Grey est devenu député en 1885.

Avec ses amis Asquith et Haldane, Grey mène le groupe des libéraux impérialistes, à la fois partisans de la grandeur impériale britannique à l'extérieur et des réformes sociales à l'intérieur. En 1892, Grey lance un avertissement à la France dans un discours aux Communes, la prévenant de ne pas tenter de s'implanter sur le Haut-Nil ; Paris ne l'ayant pas pris au sérieux, la crise de Fachoda éclate en 1898. Grey souhaite pourtant la conciliation avec la France et est gagné à cette cause comme la majeure partie des libéraux, lors de la campagne en faveur du traité d'arbitrage franco-britannique. Porte-parole libéral sur les Affaires étrangères, il approuve les accords de l'Entente cordiale conclus par les conservateurs.

Grey est devenu ministre des Affaires étrangères en janvier 1906, après la chute forcée de Delcassé. Il approuve d'emblée le soutien donné à la France lors de la conférence d'Algésiras. Avec le Premier ministre Campbell-Bannerman, puis avec Asquith, il autorise aussitôt des conversations secrètes établissant peu à peu des stratégies communes en cas de guerre avec l'Allemagne. Le souci de Grey, pourtant, est de préserver la paix européenne et d'utiliser l'Entente à titre dissuasif. En 1907, il conclut une entente avec la Russie sur le modèle de celle de 1904, avec le règlement amiable des litiges extra-européens. Très légaliste, Grey veille à ne pas s'engager formellement et par écrit à assister la France. Il se persuade, prenant acte de l'agressivité croissante de la politique allemande, qu'il sera difficile pour l'Angleterre d'accepter l'écrasement de sa partenaire. Il promet donc, en 1912, une procédure de consultation. Il devra cependant se défendre devant les Communes d'avoir lié la Grande-Bretagne sans assentiment parlementaire. En août 1914, il bataille pour convaincre ses collègues d'entrer en guerre. Pressentant le désastre pour la civilisation que représente la guerre, il déclare le soir du 3 août : « *Les lumières s'éteignent partout en Europe. Nous ne les reverrons pas de notre vivant.* »

Sir Edward Grey,
portrait par Noël
Dorville,
tiré de l'ouvrage
*Les Promoteurs
de l'Entente cordiale*,
éd. G. Gounouilhou,
1909

PORTRAIT DE WINSTON CHURCHILL, MINISTRE BRITANNIQUE DE LA MARINE

À l'époque de ce portrait, Winston Churchill (1874-1965) a déjà derrière lui une étonnante carrière militaire, littéraire et politique, et il joue un rôle de premier plan au sein des gouvernements libéraux au pouvoir en Grande-Bretagne à partir de 1905. Descendant d'un illustre ennemi de Louis XIV, le duc de Marlborough, Churchill n'est pas francophobe, mais au contraire ressent une grande affinité avec la France depuis une visite d'enfance. Après une brillante participation aux campagnes du Soudan et d'Afrique du Sud, il est élu député conservateur (1901). Il rejoint ensuite les rangs libéraux en 1904, refusant la doctrine protectionniste qu'adopte son parti d'origine. En se portant vers la gauche libérale, dite « radicale », il obtient immédiatement des postes gouvernementaux où il se distingue par sa puissance de travail, son ardeur réformatrice et sa vision.

Sous-secrétaire aux Colonies (1906), ministre du Commerce (1908), ministre de l'Intérieur (1910), Churchill approuve l'Entente cordiale depuis 1904, mais n'a pas eu de rôle moteur pour elle avant la seconde crise marocaine de 1911. Allié au sein du gouvernement au radical Lloyd George, Churchill passe pour pro-allemand aux yeux des diplomates français, parce qu'il n'incarne pas un type de centriste tel que Grey. Churchill est pourtant gagné par la crainte des ambitions maritimes et continentales allemandes. Lors de la crise d'Agadir (1911), il se prononce pour la fermeté et pour le soutien à la France. Le Premier ministre Asquith le nomme promptement ministre de la Marine, poste auquel Churchill s'engage énergiquement tout en froissant quelques susceptibilités d'amiraux conservateurs. Après l'échec, début 1912, d'une tentative de dialogue avec Berlin pour ralentir la course aux armements, Churchill négocie avec Delcassé des accords de coopération navale. Cela permet de concentrer la flotte britannique dans la Manche et dans la mer du Nord, en confiant la défense de la Méditerranée aux escadres françaises. Ces accords donnent une responsabilité éminente à la Grande-Bretagne dans la défense de l'essentiel des côtes françaises, et en août 1914, Grey peut invoquer cette responsabilité morale pour faire fléchir ses collègues réticents. Tout en ne considérant pas la guerre comme inévitable, Churchill, comme Asquith et Grey, n'entend pas admettre de faiblesse britannique ou française face à l'Allemagne.

Winston Churchill,
portrait par Noël
Dorville,
tiré de l'ouvrage
*Les Promoteurs
de l'Entente cordiale,*
éd. G. Gounouilhou,
1909

LE PERSONNEL DE L'AMBASSADE DE FRANCE À LONDRES, RÉUNI AUTOUR DE PAUL CAMBON, AVRIL 1904

Cette photographie, prise par un grand studio de Londres au moment de la signature des accords du 8 avril 1904, nous montre l'ambassadeur Paul Cambon, entouré de ses principaux collaborateurs, civils et militaires.

Londres est alors, en personnel, la plus importante des ambassades que la France entretient à l'étranger. Plus que celles de Berlin, Rome ou Washington, elle est la clé de voûte de la politique du ministre Théophile Delcassé. C'est lui qui, à la fin de l'année 1898, alors que la France et l'Angleterre venaient d'éviter de justesse le conflit armé, nomma Paul Cambon pour un poste réputé alors très difficile.

Au cours des négociations qui aboutiront aux accords de 1904, en tant que diplomate le plus gradé, c'est Louis Geoffray qui assure les intérims lors des absences de l'ambassadeur. Tous les témoignages s'accordent cependant sur ce point : Aimé de Fleuriau est le conseiller le plus écouté par Paul Cambon. Il sera lui-même ambassadeur à Londres de 1924 à 1933.

Paul Cambon exerce sur son entourage une autorité singulière. Ses jeunes collaborateurs – l'écrivain Paul Morand en fait partie – dénoncent parfois son côté « vieux jeu », son dédain pour les objets de la modernité que sont l'automobile ou le téléphone. Mais de 1898 à 1904, il a su réunir autour de lui une équipe soudée, dévouée, particulièrement efficace dans l'application de ce que l'on peut appeler la « méthode » Cambon.

Avec patience et opiniâtreté, Paul Cambon a affronté méthodiquement chaque problème, n'en éludant aucun. Évitant les longues démonstrations verbales, il emploie le ton direct avec ses interlocuteurs anglais, établissant des relations de franchise et de confiance mutuelle.

Après 1904, il fait de son ambassade un des hauts lieux de la vie londonienne, en y accueillant notamment tous les écrivains, les artistes et les compositeurs susceptibles de promouvoir les relations culturelles entre les deux pays. L'immeuble diplomatique est une élégante demeure, acquise par Napoléon III, située près de Hyde Park. La jugeant mal équipée pour les besoins de son service, Paul Cambon y fait réaliser une série de travaux d'aménagement, entamés en 1900 et qui dureront jusqu'en 1914.

Le personnel de l'ambassade
de France à Londres,
réuni autour
de Paul Cambon,
avril 1904,
photographie
de H. Walter Barnett

Au premier rang, de gauche à droite : capitaine de frégate Mercier de Lostende (attaché naval) ; Louis Geoffray, conseiller d'ambassade ; Paul Cambon, ambassadeur ; colonel d'Amade, attaché militaire ; Émile Daeschner, secrétaire d'ambassade.

Au second rang : Joseph Knecht, consul, secrétaire-archiviste ; Aimé de Fleuriau, secrétaire d'ambassade ; Maurice de Seynes, secrétaire d'ambassade ; Henri de Manneville, secrétaire d'ambassade ; Prosper Brugière de Barante, attaché d'ambassade ; François de Montholon de Sémonville, attaché d'ambassade.

LA SIGNATURE DES ACCORDS

Début mars, Paul Cambon écrit à son fils : « *Avec Lansdowne, nous continuons à causer ; nous sommes bien près de nous entendre. Nous discutons sur des pointes d'aiguille et sur des tas de cailloux dans la région du lac Tchad. Quand nous serons d'accord, le plus difficile commencera. Il faudra trouver des formules pour le règlement des nombreuses questions abordées.* » Pour Terre-Neuve, il est prévu d'établir une convention (notons que ce terme, synonyme de traité international, s'applique à un traité ayant un contenu plutôt juridique et technique, comme ici les droits de pêche) ; pour les autres questions, de procéder par échange de notes. C'est le règlement de l'affaire de Terre-Neuve, où le gouvernement local désapprouve les initiatives du cabinet britannique, qui met le plus sérieusement en péril les résultats de la négociation. Dans les premiers jours d'avril, la question n'est toujours pas réglée. L'inquiétude se fait jour dans les deux camps. Du côté anglais, le gouvernement Balfour, en butte à des difficultés sur le plan intérieur, se trouve dans une situation précaire. Du côté français, Cambon craint de ne pas retrouver un interlocuteur aussi bien disposé que Lansdowne. Autre difficulté, des fuites ont lieu dans la presse depuis plusieurs jours. Signe de la détermination du gouvernement français à conclure, des pleins pouvoirs sont envoyés à Paul Cambon, dès le 3 avril 1904. Selon le protocole, le document se présente sous la forme d'une lettre, en forme solennelle, par laquelle le chef de l'État donne délégation à son plénipotentiaire pour signer avec le plénipotentiaire de la partie opposée « *tels actes qui seront jugés nécessaires pour atteindre le but que nous nous proposons* ». Qu'il s'agisse de *pleins pouvoirs*, signés par le président de la République, et non de *pouvoirs* – dans ce cas, le ministre des Affaires étrangères signe seul –, montre la dimension éminemment politique de l'accord. Au prix d'ultimes marchandages, les deux parties s'accordent sur un texte suffisamment équilibré pour ne pas froisser les opinions publiques. Le 8 avril au matin, muni de ses pleins pouvoirs, Paul Cambon signe avec le secrétaire d'État au Foreign Office les trois documents qui jettent les bases de l'Entente cordiale, à savoir la convention concernant les droits de la France à Terre-Neuve et en Afrique, et deux déclarations, l'une relative au Maroc et à l'Égypte, l'autre au Siam, à Madagascar et aux Nouvelles-Hébrides.

Émile Loubet

Président de la République Française,

à tous ceux qui ces présentes Lettres verront,
Salut :

Désirant de concert avec Sa Majesté le Roi
de Grande Bretagne et d'Irlande et des Territoires
Britanniques au delà des Mers Empereur des Indes,
mettre fin par un Arrangement amiable, aux difficultés
survenues à Terre Neuve, Nous avons estimé que le
moyen le plus sûr d'obtenir le résultat avantageux
que Nous nous proposons dans l'intérêt des deux Pays
serait de conclure une Convention. A ces
causes, Nous confiant entièrement en la capacité,
prudence, zèle, et patriotisme de M. Paul Cambon,
Ambassadeur de la République Française près Sa
Majesté Britannique, Nous l'avons nommé, et
constitué Plénipotentiaire et lui donnons par ces

Pouvoirs donnés
par Émile Loubet
à Paul Cambon
pour la signature
des accords,
3 avril 1904

LA DÉCLARATION RELATIVE AU SIAM, À MADAGASCAR ET AUX NOUVELLES-HÉBRIDES

Outre la convention concernant Terre-Neuve et l'Afrique occidentale et centrale, deux déclarations sont signées à Londres, le 8 avril 1904, par l'ambassadeur Paul Cambon et Lord Lansdowne, portant, l'une sur l'Égypte et le Maroc, et l'autre sur le Siam, Madagascar et les Nouvelles-Hébrides.

Cette seconde déclaration comprend trois parties, dont la première, relative au Siam, a pour objet de compléter celle qui avait été signée à Londres le 15 janvier 1896 par le baron de Courcel, ambassadeur de France, et le marquis de Salisbury, Premier ministre d'Angleterre. Les représentants de chacune des puissances font savoir que l'influence de la Grande-Bretagne sera reconnue par la France sur les territoires situés à l'ouest du bassin de la Mejnam, et celle de la France sur les territoires situés à l'est de la même région. Toutes les possessions siamoises à l'est et au sud-est de cette zone et les îles adjacentes relèvent désormais de l'influence française et toutes les possessions siamoises à l'ouest de cette zone et du golfe de Siam, y compris la péninsule malaise et les îles adjacentes, relèvent de l'influence anglaise. Les deux parties contractantes conviennent que l'action respective des deux gouvernements s'exercera sur chacune des sphères d'influence ainsi définies.

Le deuxième point de la déclaration porte sur Madagascar. En vue de l'accord en préparation relatif aux questions de juridiction et au service postal à Zanzibar et sur la côte adjacente, le gouvernement britannique renonce à la réclamation qu'il avait formulée contre l'introduction du tarif douanier établi à Madagascar après l'annexion de cette île à la France.

En troisième et dernier lieu, les deux gouvernements s'accordent pour préparer ensemble un arrangement qui mette fin aux difficultés résultant de l'absence de juridiction sur la population autochtone des Nouvelles-Hébrides. Ils prévoient de nommer une commission pour le règlement des différends fonciers de leurs ressortissants respectifs dans ces îles. La compétence de cette commission et les règles de sa procédure donneront lieu à un accord entre les deux gouvernements.

France

Déclaration concernant le Siam, Madagascar, et les Nouvelles Hébrides.

I. Siam.

Le Gouvernement de la République Française et le Gouvernement de Sa Majesté Britannique maintiennent les Articles I et II de la Déclaration signée à Londres le 15 Janvier 1896 par le Baron de Courcel, Ambassadeur de la République Française près Sa Majesté Britannique à cette époque, et le Marquis de

Declaration concerning Siam, Madagascar, and the new Hebrides.

I. Siam.

The Government of the French Republic and the Government of His Britannic Majesty confirm Articles 1 and 2 of the Declaration signed in London on the 15th of January 1896 by Baron de Courcel, then Ambassador of the French Republic at the Court of Her Britannic Majesty, and the Marquess of Salisbury then

Déclaration relative au Siam, à Madagascar et aux Nouvelles-Hébrides, signée à Londres, 8 avril 1904

La déclaration franco-britannique du 8 avril 1904 relative à l'Égypte et au Maroc

On voit ici le texte bilingue de la déclaration concernant l'Égypte et le Maroc, cœur du projet de réconciliation franco-britannique, car elle traite de litiges portant sur des régions jugées stratégiques par les deux pays. Le litige égyptien est ancien, remontant à 1882, lorsque la Grande-Bretagne a occupé seule l'ancienne vice-royauté ottomane. La question marocaine, elle, n'existe encore qu'à l'état potentiel, puisque le royaume chérifien est encore indépendant. Il importe au gouvernement britannique que son contrôle militaire de la route des Indes passant par le canal de Suez soit reconnu, et il lui faut éviter que la côte atlantique marocaine ne tombe entre les mains d'une puissance maritime hostile. Pour la France, il faut obtenir des garanties quant à la protection d'intérêts en Égypte, y compris culturels et scientifiques ; et la possibilité de pouvoir éventuellement prolonger vers l'ouest sa tutelle sur l'Afrique du Nord par la reconnaissance d'un rôle prépondérant au Maroc.

En annexe, on trouve le « Projet de décret du khédive d'Égypte », qui doit permettre la réforme des finances égyptiennes et de la Caisse de la Dette, l'organisme veillant aux intérêts des puissances créancières de l'Égypte. La Caisse de la Dette étant gérée collégialement par les puissances, la non-coopération française, pour cause de désaccord avec l'Angle-terre, en a bloqué le fonctionnement. La France s'engage donc à accepter ce projet, préparé par le représentant britannique en Égypte, Lord Cromer. D'après la disposition de l'article IX, elle doit aussi appuyer de sa diplomatie le projet de décret khédivial auprès des autres puissances. Delcassé s'y emploie avec succès dès l'été 1904.

Au Maroc, l'Angleterre reconnaît à la France le droit d'y étendre son influence politique, notamment grâce aux projets de prêts faits au sultan. Delcassé et son collègue des Finances, Rouvier, en préparent déjà les modalités. Les articles publics ne reconnaissent pas à la France un droit sur le territoire marocain. Cependant, les articles secrets, inclus à la demande de Delcassé, précisent qu'en cas d'effondrement du pouvoir royal au Maroc, la France serait en mesure de s'y installer avec l'assentiment britannique. Ces clauses ressemblent à celles concernant la Tripolitaine consenties, dans des articles tout aussi secrets, par la France à l'Italie lors de leurs accords de 1902. L'article VII convient en outre de ne pas autoriser de fortifications sur la rive africaine du détroit de Gibraltar, et l'article VIII confirme l'existence d'intérêts espagnols. Cela engage la France à traiter à ce sujet avec Madrid, ce qu'elle fait en octobre 1904.

Déclaration relative à l'Égypte et au Maroc, avec articles secrets et projet de décret du khédive d'Égypte, signée à Londres, 8 avril 1904

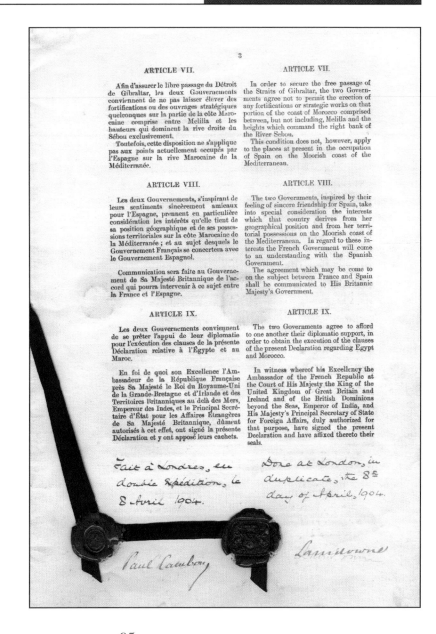

3

ARTICLE VII.

Afin d'assurer le libre passage du Détroit de Gibraltar, les deux Gouvernements conviennent de ne pas laisser élever des fortifications ou des ouvrages stratégiques quelconques sur la partie de la côte Marocaine comprise entre Melilla et les hauteurs qui dominent la rive droite du Sébou exclusivement.

Toutefois, cette disposition ne s'applique pas aux points actuellement occupés par l'Espagne sur la rive Marocaine de la Méditerranée.

ARTICLE VIII.

Les deux Gouvernements, s'inspirant de leurs sentiments sincèrement amicaux pour l'Espagne, prennent en particulière considération les intérêts qu'elle tient de sa position géographique et de ses possessions territoriales sur la côte Marocaine de la Méditerranée ; et au sujet desquels le Gouvernement Français se concertera avec le Gouvernement Espagnol.

Communication sera faite au Gouvernement de Sa Majesté Britannique de l'accord qui pourra intervenir à ce sujet entre la France et l'Espagne.

ARTICLE IX.

Les deux Gouvernements conviennent de se prêter l'appui de leur diplomatie pour l'exécution des clauses de la présente Déclaration relative à l'Égypte et au Maroc.

En foi de quoi son Excellence l'Ambassadeur de la République Française près Sa Majesté le Roi du Royaume-Uni de la Grande-Bretagne et d'Irlande et des Territoires Britanniques au delà des Mers, Empereur des Indes, et le Principal Secrétaire d'État pour les Affaires Étrangères de Sa Majesté Britannique, dûment autorisés à cet effet, ont signé la présente Déclaration et y ont apposé leurs cachets.

Fait à Londres, en double Expédition, le 8 Avril 1904.

ARTICLE VII.

In order to secure the free passage of the Straits of Gibraltar, the two Governments agree not to permit the erection of any fortifications or strategic works on that portion of the coast of Morocco comprised between, but not including, Melilla and the heights which command the right bank of the River Sebou.

This condition does not, however, apply to the places at present in the occupation of Spain on the Moorish coast of the Mediterranean.

ARTICLE VIII.

The two Governments, inspired by their feeling of sincere friendship for Spain, take into special consideration the interests which that country derives from her geographical position and from her territorial possessions on the Moorish coast of the Mediterranean. In regard to these interests the French Government will come to an understanding with the Spanish Government.

The agreement which may be come to on the subject between France and Spain shall be communicated to His Britannic Majesty's Government.

ARTICLE IX.

The two Governments agree to afford to one another their diplomatic support, in order to obtain the execution of the clauses of the present Declaration regarding Egypt and Morocco.

In witness whereof his Excellency the Ambassador of the French Republic at the Court of His Majesty the King of the United Kingdom of Great Britain and Ireland and of the British Dominions beyond the Seas, Emperor of India, and His Majesty's Principal Secretary of State for Foreign Affairs, duly authorized for that purpose, have signed the present Declaration and have affixed thereto their seals.

Done at London, in duplicate, the 8th day of April, 1904.

Paul Cambon

Lansdowne

Instrument de ratification de la convention relative à Terre-Neuve et à l'Afrique occidentale et centrale, conclue à Londres le 8 avril 1904

Engagées en juin 1902, les négociations entre la France et le Royaume-Uni prennent un tour décisif après la visite officielle d'Édouard VII à Paris au début de mai 1903, pour aboutir à la signature d'une convention, le 8 avril 1904, par Paul Cambon, ambassadeur de France à Londres, et Henry Charles Keith Petty-Fitzmaurice, marquis de Lansdowne, secrétaire d'État de la reine d'Angleterre aux Affaires étrangères.

Cette convention a pour objet, comme l'indique son préambule, de mettre fin, par un arrangement amiable, aux difficultés survenues entre les deux puissances à Terre-Neuve. La question de la pêche dans les eaux territoriales de cette île est l'objet des trois premiers articles de la convention de 1904. La France y renonce tout d'abord au régime du « *French shore* » ou privilèges établis à son profit par l'article 13 du traité d'Utrecht de 1713, accordant aux Français le droit de pêcher et de sécher le poisson sur toute la côte septentrionale de l'île depuis le cap de Bona Vista à l'est jusqu'au lieu appelé Pointe-Riche à l'ouest. Cependant elle conserve pour ses ressortissants, sur un pied d'égalité avec les sujets britanniques, le droit de pêche dans les eaux territoriales sur la partie de la côte de Terre-Neuve comprise entre le cap Saint-Jean et le cap Raye, en passant par le nord, pendant la saison habituelle de pêche. Un règlement concernant la police de la pêche sur cette partie de la côte doit être établi par les deux gouvernements. Les citoyens français se livrant à la pêche ou à la préparation du poisson sur le « *Treaty shore* » qui seraient obligés d'y abandonner les établissements qu'ils possèdent ou de renoncer à leur industrie seront indemnisés.

En outre, le gouvernement britannique s'engage à accorder à la France, pour l'abandon de son privilège sur l'île de Terre-Neuve, des compensations territoriales en Afrique occidentale et équatoriale : modification de la frontière entre la Sénégambie et la colonie anglaise de la Gambie, de manière à assurer à la France la possession de Yarboutenda ; cession à la France des îles de Los en face de Conakry ; à l'est du Niger, rectification du tracé de la frontière entre les possessions françaises et anglaises établi par la convention du 14 juin 1898.

La convention est ratifiée, du côté français, le 25 mai 1904 et l'échange des ratifications a lieu à Londres le 8 décembre suivant. Elle suscite le mécontentement des pêcheurs bretons.

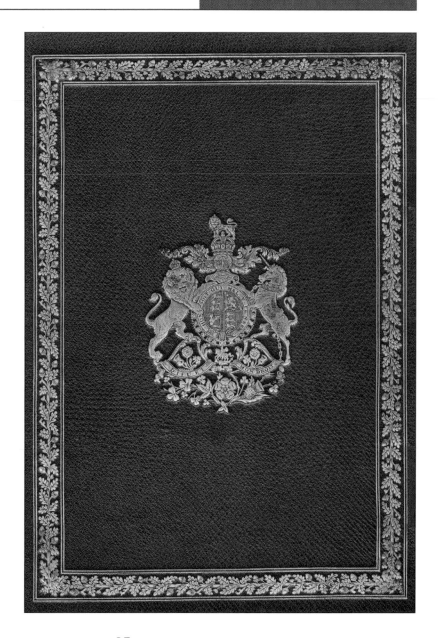

Instrument
de ratification
britannique
de la convention
du 8 avril 1904
relative à
Terre-Neuve
et à l'Afrique
occidentale
et centrale,
Londres,
15 novembre 1904

POÈME CÉLÉBRANT L'ENTENTE CORDIALE

Fondé sur un arrangement équitable qui ménage les intérêts des deux pays, l'accord colonial du 8 avril 1904 est reçu favorablement des deux côtés de la Manche. Salué presque unanimement par la presse, il est accueilli avec une profonde satisfaction par des opinions publiques habilement préparées à ce retournement par les visites, l'année précédente, du roi Édouard VII à Paris et du président Loubet à Londres.

Si l'on remonte à peine cinq ans en arrière, l'atmosphère qui prévaut en ces années 1903-1904 offre un singulier contraste avec l'ambiance hostile et va-t-en-guerre de l'extrême fin du XIXᵉ siècle, marqué par l'épisode de Fachoda, sujet d'humiliation et de ressentiment durable pour les Français, et les revers des Britanniques dans la guerre du Transvaal. Dans la lettre de félicitations qu'il adresse à Paul Cambon au lendemain de la signature des accords, le président de la chambre de commerce française de Londres n'hésite pas à les qualifier de « *plus beau triomphe diplomatique de tous les temps* ».

Les sujets de Sa Gracieuse Majesté ne sont pas en reste, comme en témoignent les lettres et messages de soutien qui parviennent à l'ambassade de France à Londres et au Quai d'Orsay, ainsi que plusieurs pièces de vers. Composées dans l'enthousiasme, maladroites parfois mais jamais dénuées d'humour, elles constituent un amusant catalogue des images que se renvoient les deux pays.

Peace and Goodwill.

Hail to the Treaty now negotiated
   Between ourselves and genial neighbour, France!
Hail to the King, whose tact initiated,
   And did so much the Concord to advance!

Hail, Loubet, President,—than whom no other
   More welcome guest e'er visited our shore;
Gladly again we'd greet thee as our brother
   And give thee fit reception as before.

Hail, noble Nations! now we hope united
   In bonds of friendship nevermore to part,
For fealty and troth sincerely plighted
   Should yet more strongly bind us heart to heart.

Hail to the Statesmen, too, alike persistent
   In patient skill this welcome end to gain:
Delcassé, Lansdowne,—both throughout consistent
   In seeking fair adjustment to obtain.

Poème célébrant
l'Entente cordiale
adressé par
J. E. P. Saunders
à Delcassé,
9 avril 1904

RÉACTIONS FRANÇAISES AUX CLAUSES CONCERNANT LA PÊCHE À TERRE-NEUVE

L'accord du 8 avril 1904 est mal accueilli par les chambres de commerce des villes portuaires françaises. Jusqu'au 25 mai, date de la ratification de la convention, le ministère des Affaires étrangères reçoit successivement les doléances des chambres du Havre, de Marseille, Nantes, Dieppe, Bordeaux, Granville, Rouen, Saint-Malo, Dunkerque et Bayonne. Malgré tous leurs efforts, les arguments avancés, les rapports rédigés et les interventions de députés, la convention du 8 avril concernant Terre-Neuve est approuvée le 12 novembre 1904 par la Chambre des députés, et par le Sénat le 7 décembre suivant. Les droits des pêcheurs français sur l'usage de l'île, acquis au traité d'Utrecht (1713), sont abandonnés en faveur des habitants, passés sous dominion britannique en 1856. C'est une faible perte pour le gouvernement français qui règle ainsi un contentieux ancien entre Terre-Neuviens et pêcheurs français, et reçoit en contrepartie des territoires et des facilités d'accès en Afrique occidentale et centrale.

Pour les pêcheurs en revanche, la convention a des conséquences multiples. Les habitants de Terre-Neuve peuvent désormais pêcher et installer des établissements sur l'ancien *French shore*, partie de la côte longue d'environ 800 kilomètres, comprise entre le cap Saint-Jean et le cap Raye en passant par le nord, tandis que les pêcheurs français ne peuvent plus s'y établir pour faire sécher la morue. Ils ne pourront utiliser cette partie de la côte que pour pêcher, et s'approvisionner en boëtte (appâts constitués de hareng, capelan, bulot ou encornet) nécessaire à la pêche à la morue. Cette clause est donc peu avantageuse, puisque les distances sont grandes entre les îles françaises de Saint-Pierre et Miquelon et la zone de pêche, ou *Treaty shore*, attribuée aux ressortissants français par la convention de 1904. Les chambres de commerce auraient souhaité contourner la difficulté en achetant la boëtte dans toutes les eaux terre-neuviennes, mais pour protéger le commerce insulaire, le Parlement de Terre-Neuve vota, en 1885, le *Bait bill* qui y faisait obstacle. Le gouvernement français, sachant que la négociation sera inutile, renonce à réclamer l'abolition de cette mesure restrictive pour les pêcheurs français. Il les encourage donc à s'adapter et à moderniser les chalutiers. Ils devront être dotés de chambres frigorifiques pour conserver les appâts et le produit de la pêche. Quelques navires terre-neuvas en sont équipés, mais le commerce, qui déclinait avant 1904, périclite rapidement puis s'éteint.

133

GRANVILLE, *le* 16 Mai 1904 *189*

Extrait du Registre des Délibérations de

La Chambre de Commerce de Granville

Séance du 3 Mai 1904

Etaient présents: M.M. J.Pannier Vice-Président; LePrince, Tronion,Beust,Girre,& Lucien Dior fils.

Absents & excusés:M.M. Riotteau Président & H.Béguin.

Absent: M. Leparquois.

La Chambre de Commerce de Granville proteste contre les clauses du traité concernant le French Shore dans la convention Franco-Anglaise.

Elle estime que ce traité est de nature à nuire aux intérêts du commerce granvillais qui arme chaque année une quarantaine de navires pour pêcher sur les Bancs de Terre-Neuve.

En effet,par ce traité,nous faisons de grandes concessions aux Anglais de Terre-Neuve en leur abandonnant nos droits de séchage sur toute l'étendue des côtes du French Shore & notamment notre droit exclusif de pêche;nous ne recevons rien en retour.

La seule compensation qui pouvait être donnée à nos pêcheurs & qui présentait pour eux un intérêt réel pour l'avenir eût été le retrait du Bait Bill sur toute l'étendue des côtes de Terre-Neuve.

Protestation de la chambre de commerce de Granville contre les clauses du traité concernant le *French shore*, 3 mai 1904

LA VISITE DE LA FLOTTE FRANÇAISE À PORTSMOUTH EN AOÛT 1905

Les puissances désireuses de se marquer des égards dépêchaient régulièrement des escadres navales pour rendre des visites de courtoisie dans les ports étrangers. Ainsi les flottes française et russe avaient-elles envoyé des navires dans leurs ports respectifs de Cronstadt et de Toulon au moment de l'alliance entre Paris et Saint-Pétersbourg.

Début 1905, Londres et Paris conviennent de détacher, la première des navires à Brest, et la seconde à Portsmouth, en des gestes de forte teneur symbolique. Ces visites ont été proposées en février, avant le déclenchement de la première crise marocaine par l'Allemagne, désireuse de tester la solidité du lien franco-britannique. Une escadre anglaise se rend en Bretagne début mai, et la flotte française de l'Atlantique se rend à la grande base navale britannique au mois d'août, à l'époque des régates dans l'estuaire de la Solent, auxquelles assiste le roi. Le symbole de la rencontre d'août 1905, représentée ici par *Le Petit Journal*, est grand. Au mois de juin, Delcassé a été contraint à la démission sous pression allemande, suscitant une forte émotion en Angleterre où l'on souhaitait son maintien au gouvernement. Cette rencontre navale prend une importance nouvelle, affirmant la persistance du lien d'amitié franco-britannique et permettant aux marines respectives, si souvent opposées par le passé, de participer à la réconciliation. On voit ici Édouard VII, en tenue d'amiral de la Flotte, accueillir avec une joie évidente le commandant d'escadre français, l'amiral Caillard, sur le pont de son yacht, le *Victoria and Albert*, en compagnie des dames et suivi du prince de Galles, également amiral, et du duc de Connaught, en maréchal. La flotte française reste dans l'estuaire de la Solent pendant plusieurs jours, ses officiers et équipages accueillis à terre pour des banquets et des réjouissances. Il y a aussi une excursion à Londres pour les marins et un déjeuner au château de Windsor pour les officiers. Le programme suit de près celui de la visite britannique à Brest au printemps précédent, où les équipages ont été reçus à une fête bretonne, et des délégations de marins et d'officiers britanniques accompagnées de leurs homologues français, se sont également rendues à Paris. La participation du roi, toujours importante aux yeux des Français, donne encore plus d'éclat à la revue navale de Portsmouth. Les fêtes sont abondamment commentées par la presse et constituent un encouragement à la poursuite de l'Entente cordiale vers une coopération politique, et éventuellement militaire, plus étroite.

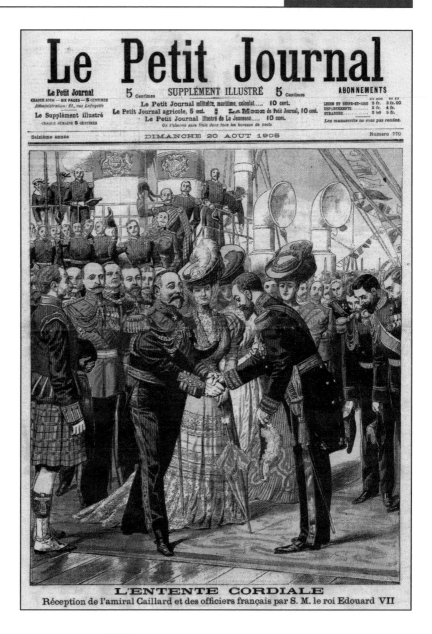

L'Entente cordiale,
réception
de l'amiral
Caillard
et des officiers
français par S.M.
le roi Édouard VII,
Le Petit Journal,
20 août 1905

Le projet de tunnel sous la Manche

À l'époque de l'Entente cordiale, la possibilité de relier la France à la Grande-Bretagne par le percement d'un tunnel a été plusieurs fois étudiée. Le premier projet reconnu, celui de l'ingénieur Mathieu-Favier, date de 1802. L'ère du chemin de fer suscite de nouvelles idées. Œuvres d'illuminés souvent, les projets se multiplient dans la deuxième moitié du siècle.

Le premier projet vraiment sérieux sur le plan technique est celui de l'ingénieur des Mines Thomé de Gramond, présenté à l'exposition universelle de 1867. Par la suite, de nouvelles solutions techniques sont trouvées. Parallèlement, l'intérêt que l'on porte au tunnel grandit. Napoléon III, de même que la reine Victoria, sont acquis à sa construction.

En 1872 se crée à Londres la Channel Tunnel Company, tandis qu'une Société française du tunnel sous la Manche voit le jour en 1875, pour construire la partie du tunnel qui s'étend de la côte française au milieu du détroit. On commence à forer de part et d'autre en 1878. Des galeries d'essai de deux kilomètres chacune sont creusées de 1882 à 1883. Mais la dégradation des relations des deux pays, qui condui-

sent la même politique d'expansion coloniale à partir de 1880, a des répercussions catastrophiques sur le déroulement du projet. L'opinion anglaise s'affole. De violentes campagnes de presse accréditent l'hypothèse d'une invasion par le tunnel, donnant du grain à moudre aux principaux adversaires du tunnel, les militaires, dont la préoccupation majeure est la neutralisation du tunnel en cas de conflit. Devant l'ampleur de cette vague anti-tunnel, les travaux de forage sont arrêtés en 1883.

La réconciliation de 1904 donne beaucoup d'espoir aux « tunnellistes ». Le contentieux colonial réglé, la méfiance vis-à-vis d'un tunnel est à cette époque essentiellement due à des considérations stratégiques. Le Comité de Défense impérial, opposé au projet, gagne à sa cause le gouvernement britannique qui, en mai 1907, renouvelle son opposition à la réalisation du tunnel. C'est dans ce contexte qu'il faut replacer la dépêche de Paul Cambon, lui-même ardent défenseur du tunnel (et pour la promotion duquel il créera le Comité français du tunnel sous la Manche, en mars 1921). Ce nouvel échec – il y en aura d'autres – n'était pas de nature à décourager les partisans du tunnel.

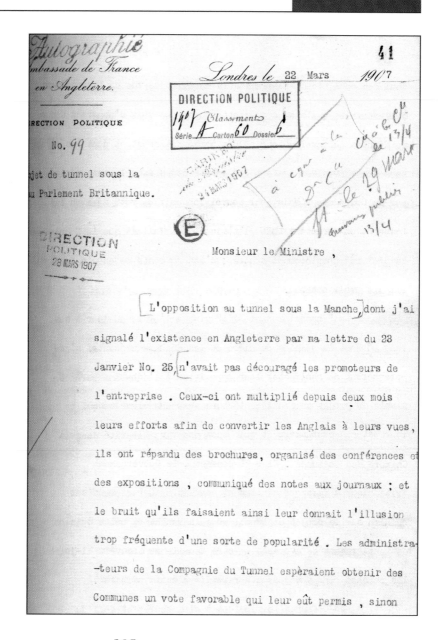

Dépêche
de Paul Cambon
sur le projet
de tunnel
sous la Manche,
22 mars 1907

La visite de Guillaume II en Angleterre en novembre 1907

Cette dépêche de l'ambassadeur Paul Cambon à Stephen Pichon, ministre des Affaires étrangères du gouvernement Clemenceau, rend compte de la visite d'État effectuée par le Kaiser Guillaume II en Grande-Bretagne, en novembre 1907. Neveu du roi Édouard, le Kaiser ne s'est pas rendu en Angleterre depuis la mort de la reine Victoria et a souhaité être reçu par sa famille anglaise. Cambon a assisté au dîner donné au château de Windsor en l'honneur de Guillaume et de l'impératrice, et décrit le Kaiser comme particulièrement froid lors de leur présentation. D'après Cambon, cette visite est d'ordre familial. Mais l'attention qu'il lui a portée reflète une crainte de la diplomatie française d'un possible réchauffement des relations anglo-allemandes aux dépens de l'Entente cordiale. Après avoir soutenu la France contre l'Allemagne lors de la première crise marocaine, le gouvernement britannique cherche à normaliser les relations, ce que la France fait elle-même en signant avec Berlin en février 1909 des accords de coopération économique au Maroc, sans porter préjudice à l'entente avec Londres. Cambon exprime cependant une méfiance à l'endroit des intentions allemandes. Il note que le Kaiser s'adresse particulièrement aux ministres Lloyd George et Morley, membres de la gauche libérale, ainsi qu'à Burns, le travailliste. Ces ministres aux convictions pacifistes ou non interventionnistes sont soupçonnés de représenter les thèses allemandes au gouvernement. Cambon estime aussi que, si le Kaiser a été davantage applaudi le lendemain lors de sa visite à la City que dans les autres quartiers de Londres, ce serait dû au nombre de commis de banque « *de nationalité germanique* ». L'ambassadeur de France conclut que les discours du Kaiser et de son ministre des Affaires étrangères, von Schoen, exprimant simplement un espoir de relations anglo-allemandes étroites, ne constituent pas une initiative menaçante, mais que le public britannique pourrait être sensible à ces efforts. Pourtant la visite est suivie d'incidents qui irritent fort les Anglais. Pendant son séjour, le Kaiser se vante en privé d'avoir donné des conseils stratégiques aux Anglais lors de la guerre des Boers. La publication de ces propos dans le *Daily Telegraph* embarrasse Guillaume II tant en Angleterre qu'en Allemagne. En janvier 1908, le Kaiser écrit directement à Lord Tweedmouth, ministre anglais de la Marine, dans l'espoir de le convaincre que l'expansion de la marine allemande ne menace pas l'Angleterre. C'est une démarche directe, contraire aux usages diplomatiques. Aussi la visite des souverains allemands n'a-t-elle pas les effets dont Paul Cambon, à demi-mot, exprime ici la crainte.

Ambassade de France en Angleterre.

Londres le 13 Novembre 1907

DIRECTION POLITIQUE

DIRECTION POLITIQUE
16 NOV 1907

No. 349.

Empereur d'Allemagne en Angleterre.

Ⓔ

Monsieur le Ministre,

L'Empereur et l'Impératrice d'Allemagne, dont le débarquement à Portsmouth avait été retardé par le brouillard, sont arrivés à Windsor Lundi 11 courant à 4 heures de l'après midi. La journée d'hier Mardi a été consacrée à la chasse dans le parc. Le soir, un diner de gala de 160 couverts réunissait dans la grande galerie de St George la famille Royale d'Angleterre, les souverains Allemands et leur suite, les Ambassadeurs, les Ministres représentant les Cours parentes des souverains Anglais, les membres du Cabinet actuel et du Cabinet précédent, les grands officiers de la Couronne, etc..

Je n'avais pas eu l'occasion de rencontrer Guillaume II depuis les funérailles de sa grand'mère, la Reine Victoria. Il m'a paru maigri, la figure un peu fatiguée, mais ayant conservé des allures très jeunes. Avant le diner, on avait introduit dans un salon particulier les trois Am-

Son Excellence

Dépêche de Paul Cambon au sujet du voyage de l'empereur d'Allemagne Guillaume II en Angleterre, 13 novembre 1907

L'ACCORD D'ENTENTE ANGLO-RUSSE CONCLU EN AOÛT 1907

L'accord anglo-russe réglant les litiges entre les deux gouvernements a été signé à Saint-Pétersbourg le 31 août 1907. Le chargé d'affaires français à Londres, Louis Geoffray, en rendait compte à Paris deux semaines plus tard. Depuis 1904, la Grande-Bretagne a exprimé l'espoir de pouvoir se rapprocher de son grand rival en Asie par le biais de l'entente déjà établie avec la France. La médiation française a été importante, notamment au temps de la guerre russo-japonaise. C'est pourtant sans intervention française que l'accord anglo-russe a été négocié par l'ambassadeur Nicolson, sous la direction de son ministre, Sir Edward Grey, avec le ministre russe Isvolsky.

L'accord porte sur la délimitation de zones d'influence respectives en Perse, au Tibet, et proclame la neutralité de l'Afghanistan. L'objectif principal de Londres est d'assurer la sécurité de la frontière indienne, car, comme le dit en 1902 le Premier ministre Balfour, *« notre problème de défense est essentiellement un problème de la défense des Indes »*. La conclusion de l'accord représente un succès important pour Grey, mais le gouvernement libéral se montre prudent de ne pas trop le claironner auprès de l'opinion publique britannique. Geoffray note cependant que cet accord se distingue de l'Entente cordiale avec la France, même si l'effet recherché paraît être semblable. Le chargé d'affaires explique qu'un réel sentiment d'amitié unit en plus les populations françaises et britanniques. La France est un régime parlementaire qui est admiré de l'opinion de gauche en Angleterre. Ce n'est pas le cas du régime russe, encore aux prises avec le mouvement révolutionnaire de 1905. Geoffray semble prévoir, à la lecture de la presse anglaise, que les mêmes critiques pourraient être formulées à l'encontre de liens avec la Russie que celles qui ont été faites par ailleurs par une partie de l'opinion française. Bien que l'entente entre Londres et Saint-Pétersbourg ait aussi son illustration publique par une visite du roi Édouard au tsar, faite à Reval, en Estonie, l'été suivant, cette entente anglo-russe ne franchit pas aussi bien son premier test que celle conclue avec la France. Lors de la crise de Bosnie-Herzégovine de 1908-1909, opposant la Russie et l'Autriche-Hongrie, la France et l'Angleterre refusent ensemble de soutenir les prétentions russes dans les Balkans pouvant mener à la guerre générale.

La presse a consacré quelques articles à l'accord .
Mais elle a été assez sobre en général de manifestations . Comme
il peut paraitre bizarre au premier abord mais comme , en fait ,
il est assez naturel, lorsqu'on songe à l'habitude des Anglais de
ne jamais juger les choses extérieures qu'au travers de leurs
propres lunettes , les feuilles libérales se sont montrées peu
favorables . Il leur déplait qu'on traite avec un gouvernement
qui suit, à leurs yeux, une si déplorable politique intérieure.
Les journaux conservateurs moins préoccupés de cette situation
ont généralement approuvé, mais non sans réserves et sans donner
à entendre qu'il fallait connaitre les détails de l'arrangement
et voir ensuite comment il fonctionnera à l'usage . Le "Times",
fort heureux sans doute de trouver le moyen de remplir ses
colonnes par ces temps d'été , publie chaque jour d'interminables
lettres de correspondants occasionnels qui semblent à peu près
unanimement fort mécontents de l'accord . Leurs motifs n'ont
généralement pas le mérite de l'originalité, ni de la nouveauté .

Sur un point , les journaux semblent tous concorder .
"Il ne faut pas songer à établir la moindre comparaison entre
l'entente anglo-russe et l'entente cordiale anglo-française".
C'est bien là je crois le vrai sentiment du public . Avec la

Dépêche
de Louis Geoffray,
chargé d'affaires
à Londres,
sur l'arrangement
anglo-russe
et les réactions
en Grande-Bretagne,
12 septembre 1907

L'EXPOSITION FRANCO-BRITANNIQUE DE 1908

Dans l'esprit de ses promoteurs, l'exposition franco-anglaise, ouverte à Londres de mai à novembre 1908, est bien plus que le prolongement commercial de l'action diplomatique : elle vient couronner, sur un mode particulièrement grandiose, cette Entente cordiale que les quatre années écoulées depuis les accords d'avril 1904 n'ont fait que consolider.

L'idée n'est pas nouvelle : France et Grande-Bretagne ont joué un rôle fondamental dans la genèse de ces grandes vitrines industrielles et commerciales, dont la motivation politique n'est jamais absente. L'exposition organisée à Londres en 1851 – première du genre avec vingt-cinq nations représentées – a suscité la réplique de Paris dès 1855. Celle de 1908, restreinte à la seule participation franco-anglaise, se situe dans la lignée de ces manifestations dont elle partage l'encyclopédisme et la foi positiviste dans le progrès technique et l'éducation, source de bien-être social et instrument de paix entre les peuples, idéologie qui, dans le contexte de l'Entente cordiale, prend tout son sens.

L'exposition résulte de l'initiative privée, signe du revirement de l'opinion consécutif au rapprochement diplomatique : en 1905, l'architecte Imre Kiralfy dépose, avec un groupe de commerçants anglais, un projet qui reçoit l'aval et le soutien financier des autorités françaises et britanniques. Sur un terrain de plus de 60 hectares, situé à Shepherd's Bush à l'ouest de Londres, proche d'une station de métro, Kiralfy et son confrère Marius Toudoire conçoivent les plans d'une trentaine de bâtiments, disposés harmonieusement dans les jardins dessinés par les horticulteurs français et anglais. Promotion commerciale (des prix récompensent les exposants) et motivation pédagogique sont étroitement associées : beaux-arts et arts décoratifs, « *arts de la femme* », hygiène, alimentation, machines et industries diverses ont leur palais. Clou de l'exposition : la cour d'honneur, avec un palais des congrès dont l'architecture en style indien, ajourée et élégante, témoigne de l'importance prise par le fait colonial dans les expositions. La nuit, les milliers de lampes électriques éclairent le lieu et se reflètent dans le lac en créant l'illusion féerique d'une cascade lumineuse. Préfigurant la civilisation des loisirs, des restaurants, des distractions « *savantes ou amusantes* », sont prévus pour séduire le public, avec une concession majeure au goût des Anglais pour le sport : un stade de 20 000 places, contigu à l'exposition, qui accueillera, en juillet 1908, les Jeux olympiques, ressuscités depuis peu par le baron de Coubertin.

La cour d'honneur de l'exposition franco-
britannique de 1908,
dans l'ouvrage *Livre d'or
de l'Entente cordiale*,
Paris-Bordeaux,
éd. G. Gounouilhou, 1908

LE PRÉSIDENT FALLIÈRES SE REND EN ANGLETERRE EN MAI 1908

Le 25 mai 1908, le président de la République Armand Fallières, accompagné de son ministre des Affaires étrangères Stephen Pichon, quitte Paris pour se rendre à l'exposition franco-anglaise de Londres, but officiel du voyage. Cette visite d'État est un moyen spectaculaire de manifester la communauté d'intérêts qui lie les deux pays et le signe que l'Entente, au niveau politique, fonctionne bien : sortie renforcée de la crise marocaine, elle se joue désormais à trois, la Russie s'étant rapprochée de Londres par la convention du 31 août 1907.

Événement sensationnel pour un public friand de protocole, l'arrivée à Douvres du *Léon Gambetta*, le croiseur de l'escadre du Nord qui assure le transport du président, fait la une du supplément illustré du *Petit Parisien*. Cinquante-trois navires de guerre dispensent les saluts et salves d'usage. La ville, pavoisée aux couleurs françaises, brillamment illuminée, a préparé un banquet pour les officiers et la suite présidentielle, et des divertissements pour les matelots. De là, le président doit, par le train, gagner Londres où l'attend, entre autres cérémonies, l'inauguration du Palais des Arts à Shepherd's Bush. Il y a été précédé par Jean Cruppi, ministre du Commerce et Ruau, ministre de l'Agriculture, qui, avant même l'achèvement complet des travaux, ont ouvert dès le 14 mai, l'exposition, en compagnie du prince et de la princesse de Galles et de l'ambassadeur Paul Cambon.

L'accueil enthousiaste des foules massées sur le passage du cortège, la cordialité des discours, le caractère éclatant des réceptions offertes au président, témoignent de ce que la sympathie pour la France est ressentie, beaucoup plus qu'à l'époque du président Loubet, par toutes les classes de la société, y compris par les élites, jusque-là sensibles à l'influence allemande. C'est du moins ce qu'observe le chargé d'affaires français à Londres. Mais si le désir de voir l'Entente *vivre et se développer* est vif, faut-il pour autant pérenniser celle-ci sous la forme d'un traité d'alliance ? Tirant les conclusions de la visite du président, *Le Temps* évoque cette possibilité, qui a pour condition le renforcement de l'armée de terre britannique par la conscription obligatoire, gage de réciprocité dans la relation. Cependant, l'opinion anglaise répugne à l'idée d'être entraînée malgré elle, par l'automaticité d'un traité, dans une guerre continentale. En 1908, l'Entente est au beau fixe, mais le Royaume-Uni reste réticent à un traité d'alliance permanente qui pourrait restreindre sa liberté d'appréciation.

La réception
à Douvres
du président
Fallières,
Le Petit Parisien,
31 mai 1908

LA TRAVERSÉE DE LA MANCHE PAR BLÉRIOT, 25 JUILLET 1909

Né à Cambrai en 1872, ingénieur des arts et manufactures, Louis Blériot s'intéresse très tôt à l'aviation. Après avoir construit sans grand succès plusieurs biplans, il mise tout sur l'avenir du monoplan et, le 31 octobre 1908, réalise un premier exploit en effectuant un vol de 14 km entre Toury et Artenay.

Franchir la Manche en aéroplane est un pari qui fait alors rêver toutes les têtes brûlées que compte le petit monde de l'aviation. La distance est peut-être courte mais chacun sait que l'exploit aura une extraordinaire valeur symbolique. Le *Daily Mail* promet une récompense de 25 000 francs au premier aviateur qui réussira.

Le samedi 24 juillet 1909, alors que la tempête qui sévit depuis quatre jours s'est enfin calmée, Louis Blériot et Hubert Latham se décident, tard dans la soirée, à tenter la traversée. Le premier doit décoller des Baraques, commune proche de Calais, le second de Sangatte. Vers 2 h du matin, les conditions météorologiques semblent favorables. On réveille Blériot, alors qu'on juge préférable de laisser dormir Latham…

À 4 h 35, après avoir accompli un premier essai au-dessus de Sangatte, le *Blériot* décolle. À l'approche des côtes anglaises, la brume et les vents contraires, rendent périlleux l'atterrissage, mais l'appareil parvient à se poser tant bien que mal sur le terrain de golf de Douvres. Il est 5 h 13. Une seule personne est là pour l'accueillir : le correspondant du journal *Le Matin* qui s'était muni d'un drapeau tricolore pour guider l'aviateur.

Dans les heures qui suivent, de part et d'autre de la Manche, Louis Blériot est fêté comme un héros. Les Londoniens lui font un véritable triomphe et le petit monoplan est exposé au Selfridge's, le grand magasin londonien. L'ambassadeur Paul Cambon le convie à sa table et note : « *Ce Blériot est un homme à l'air doux et modeste, il est très étonné de tout le tapage qu'on fait autour de lui.* »

En France, la presse constate que l'Angleterre n'est plus vraiment une île. Et Franz-Reichel, du magazine *L'Illustration*, d'écrire : « *Le vol historique et inoubliable de Blériot est un événement énorme ; au-dessus des champs, des bois et des villes, on a fait bien d'autres exploits […] mais aucun n'a le caractère extraordinaire de cette triomphale traversée qui a enthousiasmé l'univers ému, et troublé profondément, dans son orgueilleuse sécurité, l'inviolable Angleterre.* »

La traversée du
Pas-de-Calais
en aéroplane,
Blériot atterrit
sur la falaise
de Douvres,
Le Petit Journal,
8 août 1909

LA VISITE À LONDRES DU PRÉSIDENT RAYMOND POINCARÉ EN JUIN 1913

Raymond Poincaré (1860-1932), sénateur modéré originaire de Lorraine, est devenu président du Conseil et ministre des Affaires étrangères en janvier 1912, au sortir de la crise d'Agadir. Il s'est fixé comme objectif de consolider les alliances de la France. Il se rend une première fois en Russie à l'été 1912, et à l'automne suivant, pilote la négociation de Paul Cambon avec Sir Edward Grey aboutissant à un échange de lettres qui prévoient que les deux gouvernements se consulteront en cas de grave crise internationale.

Ces lettres, bien que n'instituant pas une véritable alliance, permettraient des échanges de haut niveau entre responsables politiques, et l'adoption rapide de lignes de conduite et mesures communes aux deux pays en cas de menace pour la paix. Elles complètent des accords passés entre les marines de guerre française et britannique se répartissant, pour l'une, les opérations en Méditerranée, et pour l'autre celles dans l'Atlantique, la Manche et la mer du Nord. De discrètes conversations entre officiers français et britanniques ont aussi établi les plans, en cas de guerre non provoquée, d'un déploiement d'un corps expéditionnaire britannique dans la région de Valenciennes, sur le flanc gauche de l'armée française. Parallèlement à ces démarches, Poincaré se fait le champion du renforcement des armées françaises, en ramenant le service militaire à une durée de trois ans en dépit d'une opposition considérable des partis de gauche. Élu président de la République en janvier 1913, Poincaré peut donc estimer avoir fait progresser la coopération franco-britannique à un niveau avancé. Il est donc très symbolique que son premier voyage à l'étranger en tant que chef de l'État se fasse à Londres. Il s'y rend du 23 au 27 juin.

Cette photographie représente son arrivée et son accueil par de hauts dignitaires de l'armée britannique, semblant confirmer la transformation de l'Entente en une alliance militaire à caractère défensif. Le président est suivi par les officiers des *Grenadier Guards*, commandant la garde d'honneur, ainsi qu'un officier de marine (à gauche). Au côté de Poincaré, en uniforme d'apparat, on reconnaît le maréchal Sir John French, alors chef de l'État-Major impérial et commandant désigné du corps expéditionnaire qui intervient en France en août 1914. Pourtant, en dépit des apparences d'étroite collaboration franco-britannique, la décision d'intervenir demeure du ressort d'un consensus au sein du gouvernement britannique, d'où le désir de Poincaré de continuer à cultiver au mieux la relation avec Londres.

Visite du président Raymond Poincaré
à Londres,
photographie *Newspaper Illustrations*,
juin 1913

LA VISITE DES SOUVERAINS BRITANNIQUES À PARIS EN AVRIL 1914

En dix ans, l'Entente cordiale n'a cessé d'être proclamée et renforcée, notamment à la suite des crises avec l'Allemagne. Les visites d'État se sont succédé régulièrement jusqu'en 1914 : la dernière en date est celle de Raymond Poincaré, en juin 1913. Dix ans après la visite d'Édouard VII à Paris, celle de son fils George V est un égal succès. Monté sur le trône en 1910, il poursuit l'œuvre de son père et rallie à sa francophilie Winston Churchill, Premier Lord de l'Amirauté, et Lloyd George, chancelier de l'Échiquier, pourtant partisans d'un rapprochement avec l'Allemagne à leur entrée aux affaires. En janvier 1914, il fait part à l'ambassadeur Paul Cambon de son désir de rendre visite au président de la République Raymond Poincaré, élu en 1913 à la satisfaction unanime des milieux politiques anglais. La date est encore incertaine, car le roi est soucieux à propos de l'Irlande, divisée en deux communautés ennemies, opposées sur la loi du *Home Rule*. Il veut être présent au moment du vote par les Communes en mai. Il ne préfère pas non plus s'engager pour l'été, et l'automne lui semble trop éloigné. Il propose donc le 20 avril ou les jours suivants. Au mois près, les dix ans de l'Entente cordiale sont fêtés à Paris avec faste, grâce à la visite de Leurs Majestés le roi George et la reine Mary.

L'éclat donné à la réception est illustré par cette photographie de la maison Paquin, rue de la Paix, sur le chemin du cortège royal. Jeanne Paquin est la première femme à avoir fondé sa propre maison de couture en 1891 ; elle est aussi la première couturière à recevoir la Légion d'honneur en 1913. La haute couture est une passerelle de plus entre la France et l'Angleterre. L'Anglais Charles Worth, par exemple, vient à Paris en 1845 pour entrer en apprentissage chez un tailleur ; treize ans plus tard, il ouvre sa propre maison à Londres, et, comme Jeanne Paquin, possède un magasin dans chaque capitale.

En avril 1914 a lieu la dernière visite royale avant la Grande Guerre ; elle sera décrite avec enthousiasme par les journaux anglais, et les souverains en parleront avec chaleur. Le 23 avril, le tsar Nicolas II écrit au gouvernement français pour s'associer aux manifestations de l'Entente. Un nouveau témoignage est rendu, quelques mois avant le déclenchement des hostilités, de l'intimité politique qui existait entre les forces de la Triple Entente.

La maison de
couture Paquin,
rue de la Paix,
décorée pour
la visite officielle
du roi George V
à Paris,
photographie
Branger,
avril 1914

CARTE GÉNÉRALE DES POSSESSIONS FRANÇAISES
ET BRITANNIQUES EN 1914

Le planisphère illustre la place prédominante exercée par les puissances de l'Entente cordiale sur les affaires mondiales à la veille de la Grande Guerre. Les deux empires couvrent à eux deux plus de 40 millions de kilomètres carrés pour une population totale de près de 480 millions d'habitants. La Grande-Bretagne et la France contrôlent, en outre, les principales voies maritimes et de vastes ressources naturelles.

Les empires coloniaux français et britannique en 1914

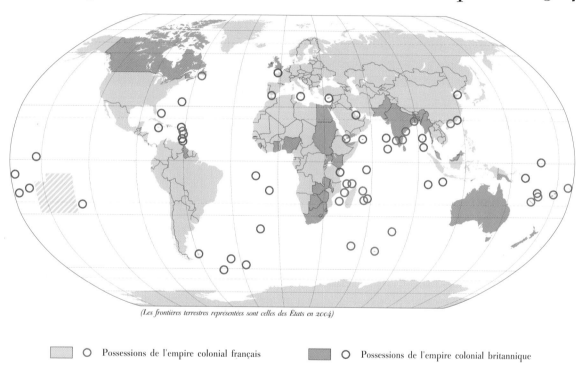

(Les frontières terrestres représentées sont celles des États en 2004)

Possessions de l'empire colonial français   Possessions de l'empire colonial britannique

Division Géographique (Direction des Archives) du Ministère des Affaires Étrangères   © 2004

L'ENTENTE CORDIALE ayant été un processus, et non une simple série de signatures croisées en avril 1904, elle s'est inscrite dans la durée avant de prouver son efficacité. Sa validité n'est avérée que dix ans plus tard, lorsque la Grande-Bretagne entre dans la guerre aux côtés de la France. Il faut en effet du temps, avant et après la conclusion des accords, pour que l'Entente cordiale se construise et se confirme : le temps de l'expression d'une volonté politique, et le temps de l'imprégnation de l'opinion publique.

Jamais, la volonté politique d'un si petit nombre n'a joué un si grand rôle dans l'entente entre deux pays, entre deux peuples. Le nouveau roi Édouard VII, Théophile Delcassé, le ministre français des Affaires étrangères, Lord Lansdowne, le secrétaire d'État au Foreign Office, Paul Cambon, l'ambassadeur de France à Londres, Émile Loubet, le président de la République française, sont les principaux acteurs de cette pièce franco-britannique. La prise de conscience a eu lieu un peu plus tôt, dans les dernières années du règne de la reine Victoria. La crise de Fachoda en 1898, provoquée par la rencontre des troupes de Lord Kitchener et de celles du commandant Marchand dans cette bourgade d'Afrique orientale, a failli déclencher la guerre et a ainsi montré le danger de la rivalité coloniale entre les deux pays. On sait quel rôle personnel a joué le prince de Galles, devenu roi sous le nom d'Édouard VII en 1901, pour modifier les relations entre Français et Britanniques. Son voyage à Paris en mai 1903, ainsi que celui d'Émile Loubet à Londres en juillet, sont organisés pour changer l'ambiance entre les deux États. Ces voyages, comme ceux du président Fallières en 1908 et du roi George V en avril 1914 pour le dixième anniversaire de l'Entente cordiale, sont transformés en outils diplomatiques et pédagogiques. Les symboles sont mobilisés : on pavoise les rues, on mêle les drapeaux, on entrelace les armoiries du Royaume et les emblèmes de la République. Il s'agit déjà de suggérer que derrière la différence apparente des institutions, distinguant le génie propre de chacune des deux nations, il existe une communauté de valeurs démocratiques et une commune volonté pacifique. C'est la perception du « danger allemand », lors des crises marocaines, qui renforce le rapprochement entre Paris et Londres et persuade les deux gouvernements d'instrumentaliser ce discours de la paix, destiné à contraster avec l'« agressivité » du Reich. Voilà pourquoi la « concorde » est une allégorie souvent mise en avant. Toute une propagande est lancée et une littérature encouragée pour populariser l'expression « Entente cordiale ».

Cette mise en scène politique de l'Entente a eu un écho positif auprès des opinions publiques. Cette réussite n'aurait sans doute pas été possible s'il n'y avait pas eu un minimum de réceptivité dans les deux sociétés, alimentée par la crainte commune de l'Allemagne. Celle-ci ne fait pas seulement peur aux diplomates et aux hommes politiques. La germanophobie croissante est la principale explication à ce retournement sentimental, qui a lieu dans les profondeurs sociales entre la crise de Fachoda et le voyage d'Édouard VII à Paris. On revient de loin : anglophobie et francophobie sont dominantes en 1898, et l'hostilité française pour « l'Anglais » se prolonge avec la guerre des Boers. À Marseille, en novembre 1900, Krüger, président du Transvaal, est accueilli par une foule enthousiaste. Le gouvernement, prudent, réussit à modérer le ton des articles de presse, mais il ne maîtrise pas les dessins des caricaturistes, parfois blessants pour la « perfide Albion » et la reine Victoria. C'est après ce conflit que la situation évolue. Dès 1902, *The Times* est de plus en plus critique à l'égard de l'Allemagne et *The Spectator*, jusqu'alors si négatif à l'égard de la politique française, plaide désormais pour une entente avec la France contre le Kaiser. Le changement n'est pas total, et la germanophilie traditionnelle de certains milieux britanniques subsiste, à la City notamment. La dépêche envoyée à Delcassé par l'ambassade à Londres le 9 mai 1903, décrivant les réactions positives en Grande-Bretagne au voyage royal en France, l'explique clairement : à bien des égards, dans cette hostilité montante pour l'Allemagne, c'est l'opinion qui précède la presse, et celle-ci finit par s'aligner sur le sentiment public, et non l'inverse. En France, la germanophobie est plus naturelle depuis la défaite de 1871, plus facile à activer ou à réactiver. À part les journaux nationalistes, la majorité de la presse française est favorable à la visite du roi en 1903. L'accueil d'Édouard VII par le public parisien, un peu frais le premier jour, est triomphal dès le deuxième. Certes, la volonté de séduction du roi y est pour beaucoup. Sa phrase prononcée à l'Hôtel de Ville faisant allusion à sa connaissance familière de la bonne ville de Paris est reprise par toute la presse, grâce à sa formule finale qui fait mouche : « *Je vous assure que je me retrouve parmi vous avec le plus grand plaisir, car je m'y sens toujours comme si j'étais chez moi.* » Mais il se crée une nouvelle réceptivité française à tout ce qui resserre les liens entre les deux pays face au danger allemand. Bref, entre les deux pays, la *cordialité* de 1903 vient avant l'*entente* de 1904, l'esprit précède la lettre. Les crises internationales des années suivantes confortent cette amitié qui rassure. Ce tournant des sentiments ne va pas jusqu'à convaincre les Britanniques d'accepter le projet de tunnel sous la Manche en 1907. La cause de leur refus n'est plus la France, mais encore un « sentiment d'insécurité » ressenti profondément par l'opinion. C'est bien, face à l'Allemagne, ce sentiment partagé par les Français et les Britanniques qui, au-delà des relations diplomatiques, a fait la solidité de l'Entente cordiale, sans qu'elle eût finalement besoin de se convertir en temps de paix en une alliance formelle.

ROBERT FRANK

1894

DÉCEMBRE 1893-JANVIER : L'alliance franco-russe est ratifiée

30 MAI : Gabriel Hanotaux devient ministre français des Affaires étrangères, Delcassé ministre des Colonies

24 JUIN : Assassinat du président Sadi Carnot

OCTOBRE-NOVEMBRE : Le Français Decoeur et le Britannique Lugard rivalisent pour la signature de traités établissant la frontière sur le Haut-Niger

DÉCEMBRE : Condamnation du capitaine Alfred Dreyfus

1895

17 JANVIER : Félix Faure est élu président de la République

JUILLET : Protectorat britannique sur le Kenya

1er OCTOBRE : Protectorat français sur Madagascar

1896

1er MARS : Défaite de l'Italie face à l'Éthiopie à Adoua

21 SEPTEMBRE : L'armée anglo-égyptienne de Kitchener entre au Soudan

1897

FÉVRIER : L'expédition Marchand quitte le bassin du Congo pour celui du Nil

1898

14 JANVIER : « J'accuse » d'Émile Zola relance l'affaire Dreyfus

28 JUIN : Delcassé devient ministre français des Affaires étrangères

10 JUILLET : Marchand atteint Fachoda

18 SEPTEMBRE : Kitchener et ses troupes rencontrent Marchand à Fachoda

3 NOVEMBRE : Marchand se retire de Fachoda

1899

JANVIER : Condominium anglo-égyptien sur le Soudan

21 MARS : Accord franco-britannique sur l'Afrique centrale, négocié par le Premier ministre britannique Lord Salisbury et l'ambassadeur de France à Londres Paul Cambon

11 OCTOBRE : Début de la guerre des Boers

1900

14 AVRIL : Ouverture de l'Exposition universelle de Paris, que visite le prince de Galles

NOVEMBRE : Lord Lansdowne devient ministre britannique des Affaires étrangères

1901

22 JANVIER : Mort de la reine Victoria, avènement d'Édouard VII

MARS-MAI : Négociations anglo-allemandes à Londres en vue d'un projet d'alliance

1902

JANVIER : Joseph Chamberlain, ministre britannique des Colonies, approche Cambon et lui propose la négociation d'un accord global franco-britannique

31 MAI : Fin de la guerre des Boers. Balfour succède à Salisbury comme Premier ministre

1903

1ᵉʳ-4 MAI : Visite d'Édouard VII à Paris

6-9 JUILLET : Visite du président Loubet et de Delcassé à Londres

OCTOBRE 1903-MARS 1904 : Suivi par Delcassé, Cambon négocie avec Lansdowne à Londres le projet d'accord franco-britannique

1904

8 FÉVRIER : Début de la guerre russo-japonaise

8 AVRIL : Signature des accords dits de l'Entente cordiale

OCTOBRE : Accords franco-espagnols sur le Maroc

1905

22 JANVIER : Début de la révolution en Russie

31 MARS : Visite du Kaiser à Tanger. Première crise marocaine

4 AVRIL : Bref entretien entre Édouard VII et le président Loubet au nord de Paris

AVRIL : Visite amicale de la flotte britannique à Brest

27 MAI : Destruction de la flotte russe à Tsushima

6 JUIN : Démission de Delcassé

24 JUILLET : Entrevue du tsar et du Kaiser à Björkö

AOÛT : Visite amicale de la flotte française à Portsmouth

12 AOÛT : Renouvellement de l'alliance anglo-japonaise

5 SEPTEMBRE : Fin de la guerre russo-japonaise

1906

JANVIER : Victoire des libéraux aux élections britanniques. Sir Edward Grey devient ministre des Affaires étrangères

16 JANVIER : Ouverture de la conférence d'Algésiras sur le Maroc

10 FÉVRIER : Lancement du cuirassé *Dreadnought* par la Grande-Bretagne

7 AVRIL : Signature de l'acte d'Algésiras

5 JUIN : Troisième Programme naval allemand

25 OCTOBRE : Victoire de la coalition radicale aux élections françaises, formation du gouvernement Clemenceau

1907

AOÛT : Entretiens de Clemenceau et Édouard VII à Carlsbad

31 AOÛT : Entente russo-britannique

DÉCEMBRE : À Londres, le Comité de Défense impériale étudie la possibilité d'une invasion allemande des îles Britanniques

1908

MAI : Ouverture de l'Exposition franco-britannique à Londres

14 JUIN : Quatrième Programme naval allemand

6 OCTOBRE : L'Autriche-Hongrie annexe la Bosnie-Herzégovine

1909

8 FÉVRIER : Accord économique franco-allemand sur le Maroc

24 JUILLET : Chute de Clemenceau, gouvernement Briand

25 JUILLET : Blériot franchit la Manche en avion

1910

6 MAI : Mort d'Édouard VII, avènement de George V

31 MAI : Création de l'Union sud-africaine, dominion britannique

1911

21 MAI : Les troupes françaises occupent Fez

27 JUIN : Ministère Caillaux

1er JUILLET : Arrivée de la canonnière allemande *Panther* devant Agadir et début de la seconde crise marocaine

28 JUILLET : Joffre devient chef d'État-Major français

28 SEPTEMBRE-15 OCTOBRE 1912 : Guerre italo-turque

4 NOVEMBRE : Accords franco-allemands mettant fin à la crise marocaine

1912

14 JANVIER : Ministère Poincaré

FÉVRIER : Échec des efforts de négociation anglo-allemands pour mettre un frein à la course aux armements

30 MARS : Protectorat français sur le Maroc

MARS-JUILLET : Accord naval franco-britannique sur proposition de Churchill

18 OCTOBRE-11 AOÛT 1913 : Deux guerres balkaniques se succèdent

22 OCTOBRE : Échange des lettres Grey-Cambon

1913

17 JANVIER : Élection de Raymond Poincaré à la présidence de la République

7 AOÛT : Service militaire français porté à trois ans

11 AOÛT : Second accord anglo-allemand de partage éventuel des colonies portugaises

1914

MARS-JUIN : Grave crise politique en Irlande à propos du *Home Rule*

MARS-JUILLET : Affaire Caillaux

22-24 AVRIL : Visite de George V et de Grey à Paris

26 AVRIL-10 MAI : Élections législatives françaises. Formation du ministère Viviani le 10 juin

15 JUIN : Accord anglo-allemand sur le chemin de fer de Bagdad

28 JUIN : Attentat de Sarajevo

15-29 JUILLET : Voyage de Poincaré et Viviani en Russie

28 JUILLET : L'Autriche-Hongrie déclare la guerre à la Serbie

29 JUILLET : Grey avertit l'ambassadeur allemand Lichnowsky que la Grande-Bretagne pourra difficilement se tenir à l'écart d'un conflit franco-allemand, alors que le chancelier Bethmann-Hollweg somme la Grande-Bretagne de se déclarer neutre

30 JUILLET : Mobilisation russe. Ultimatum allemand à la Russie le 31

1er AOÛT : Déclaration de guerre de l'Allemagne à la Russie. Mobilisation française

2 AOÛT : Ultimatum allemand à la Belgique et à la France

3 AOÛT : Déclaration de guerre allemande à la France et à la Belgique. Le gouvernement britannique décide la mobilisation et l'envoi d'un ultimatum à l'Allemagne

5 AOÛT : À minuit, la Grande-Bretagne entre en guerre contre l'Allemagne

Collections de documents officiels

Documents diplomatiques français 1871-1914, IIᵉ Série, 1900-1911, IIIᵉ Série, 1911-1914, Commission de publication des documents relatifs aux origines de la guerre de 1914, Imprimerie Nationale, Paris, 1929-1962

British Documents on the Origins of the War 1898-1914, G. P. GOOCH et H. TEMPERLEY (dir.), HMSO, Londres, 1926-1938

Ouvrages généraux sur la période et les relations internationales de 1898 à 1914

GIRAULT, René, *Diplomatie européenne. Nations et impérialismes 1871-1914*, 2ᵉ édition, Masson-Armand Colin, Paris, 1997

MCLEAN, Roderick R., *Royalty and Diplomacy in Europe, 1890-1914*, Cambridge University Press, Cambridge, 2001

MILZA, Pierre, *Les Relations internationales de 1871 à 1914*, 2ᵉ édition, « Cursus », Armand Colin, Paris, 2003

RENOUVIN, Pierre, *Histoire des relations internationales*, tome III : de 1871 à 1945, nouvelle édition, Hachette, Paris, 1994

STONE, Norman, *Europe Transformed 1878-1919*, édition révisée, Fontana Press, Londres, 1985

TAYLOR, A. J. P., *The Struggle for Mastery in Europe*, 2ᵉ édition, Oxford University Press, Oxford, 1971

Ouvrages sur les relations franco-britanniques

BRISSON, Max, *1900, Quand les Français détestaient les Anglais*, Atlantica, Biarritz, 2001

BELL, P. M. H., *France and Britain, 1900-1940 : Entente and Estrangement*, Longman, Londres, 1996

CHASSAIGNE, Philippe et DOCKRILL, M. L. (dir.), *Anglo-French Relations 1898-1998: From Fashoda to Jospin*, Palgrave, Basingstoke, 2002

GIBSON, Robert, *Best of Enemies. Anglo-French Relations since the Norman Conquest*, Sinclair-Stevenson, Londres, 1995

SASSO, Bernard et COHEN-SOLAL, Lyne, *Le Tunnel sous la Manche. Chronique d'une passion franco-anglaise*, La Manufacture, Paris, 1987

SHARP, Alan et STONE, Glyn, *Anglo-French Relations in the Twentieth Century: Rivalry and Cooperation*, Routledge, Londres, 2000

WAITES, Neville H., *Troubled Neighbours: Franco-British Relations in the Twentieth Century*, Weidenfeld & Nicolson, Londres, 1971

L'expansion coloniale

GUILLEN, Pierre, *L'Expansion, 1881-1898*, Imprimerie Nationale, Paris, 1984

NASSON, Bill, *The South African War 1899-1902*, Arnold, Londres, 1999

PAKENHAM, Thomas, *The Scramble for Africa 1876-1912*, Weidenfeld & Nicolson, Londres, 1991

THOBIE, Jacques et MEYNIER Gilbert, *Histoire de la France coloniale*, tome II : *L'Apogée, 1871-1931*, Armand Colin, Paris, 1991

**La France et sa politique étrangère
à l'époque de l'Entente cordiale**

DUROSELLE, Jean-Baptiste, *La France de la « Belle Époque »*, Presses de la Fondation nationale des sciences politiques, « Références », Paris, 1992

KEIGER, John F. V., *France and the World since 1870*, Arnold, Londres, 2001

MILZA, Pierre et POIDEVIN, Raymond (dir.), *La Puissance française à la Belle Époque. Mythe ou réalité ?*, Complexe, Bruxelles, 1992

REBÉRIOUX, Madeleine, *La République radicale ? 1898-1914*, Seuil, « Points Histoire », Paris, 1975

VAÏSSE, Maurice et DOISE, Jean, *Diplomatie et outil militaire 1871-1991*, Le Seuil, Paris, 1992

WINOCK, Michel, *La Belle Époque. La France de 1900 à 1914*, Perrin, Paris, 2002

**La Grande-Bretagne et sa politique étrangère
à l'époque de l'Entente cordiale**

BROOKS, David, *The Age of Upheaval. Edwardian Politics, 1899-1914*, Manchester University Press, Manchester, 1995

CHARMLEY, John, *Splendid Isolation ? Britain and the Balance of Power, 1874-1914*, Hodder & Stoughton, Londres, 1999

DANGERFIELD, George, *The Strange Death of Liberal England*, nouvelle édition, Serif, Londres, 1997

HEFFER, Simon, *Power and Peace. The Political Consequences of King Edward VII*, Weidenfeld & Nicolson, Londres, 1998

HINSLEY, F.H. (dir.), *British Foreign Policy under Sir Edward Grey*, Cambridge University Press, Cambridge, 1977

KENNEDY, Paul, *The Realities behind Diplomacy: Background Influences on British External Policy 1865-1980*, Fontana Press, Londres, 1985

JENKINS, Roy, *Mr Balfour's Poodle. People v. Peers*, 3ᵉ édition, Papermac, Londres, 1999

POWELL, David, *The Edwardian Crisis, 1901-1914*, Macmillan, Basingstoke et Londres, 1996

STEINER, Zara, *The Foreign Office and Foreign Policy 1898-1914*, Cambridge University Press, Cambridge, 1969

WILSON, Keith M., *The Policy of the Entente. Essays on the Determinants of British Foreign Policy 1904-1914*, Cambridge University Press, Cambridge, 1985

WILSON, Keith M. (dir.), *British Foreign Secretaries and Foreign Policy: From Crimean War to First World War*, Croom Helm, Beckenham, 1987

L'Entente cordiale

ANDREW, Christopher M., *Théophile Delcassé and the Making of the Entente cordiale 1898-1905*, Macmillan, 1968

ALLAIN, Jean-Claude, *Agadir 1911 : une crise impérialiste en Europe pour la conquête du Maroc*, Publications de la Sorbonne, Paris, 1976

CLAEYS Louis, *Delcassé*, Alcala, 2001

DROZ, Jacques, *Les Causes de la Première Guerre mondiale. Essai d'historiographie*, Seuil, « Points Histoire », Paris, 1973

DUROSELLE, Jean-Baptiste, *Clemenceau*, Fayard, 1988

HAMILTON, Howard F. et HERWIG, Holger H. (dir.), *The Origins of World War I*, Cambridge University Press, Cambridge, 2003

KEIGER, John F. V., *France and the Origins of the First World War*, Macmillan, Londres, 1983

KENNEDY, Paul, *The Growth of Anglo-German Antagonism 1860-1914*, George Allen & Unwin, Londres, 1980

MAGNUS, Philip, *King Edward the Seventh*, John Murray, Londres, 1964

MASSIE, Robert K., *Dreadnought. Britain, Germany and the Coming of the Great War*, Jonathan Cape, Londres et New York, 1991

Lord NEWTON, *Lord Lansdowne: a Biography*, Macmillan, Londres, 1929

NICOLSON, Harold, *King George V: His Life and Reign*, Constable, 1952

ROBBINS, Keith, *Sir Edward Grey: a Biography of Lord Grey of Fallodon*, Cassell, Londres, 1971

ROLO, P. J. V., *Entente cordiale: the Origins and Negotiation of the Anglo-French Agreements of 8 April 1904*, Macmillan, Londres, 1969

ROTH, François, *Raymond Poincaré*, Fayard, Paris, 2000

STEINER, Zara et NEILSON, Keith, *Britain and the Origins of the First World War*, 2ᵉ édition, Palgrave, Londres, 2003

STEVENSON, David, *Armaments and the Coming of War, Europe, 1904-1914*, Clarendon Press, Oxford, 1996

TREVELYAN, G. M., *Grey of Fallodon*, Longman, Londres, 1937

VILLATE, Laurent, *La République des diplomates. Paul et Jules Cambon 1843-1935*, Science Infuse, Paris, 2002

WILLIAMSON, Samuel R., *The Politics of Grand Strategy. France and Britain Prepare for War, 1904-1914*, Harvard University Press, Cambridge, Massachussetts, 1969

WILSON, Keith M. (dir.), *Decisions for War, 1914*, St Martin's Press, New York, 1995

ZORGIBE, Charles, *Delcassé, un grand ministre des Affaires étrangères*, Olbia, 2002

Les documents reproduits dans cet ouvrage font partie, sauf mention contraire, des fonds du ministère des Affaires étrangères conservés à Paris.

TABLE DES MATIÈRES

Achevé d'imprimer
en mars 2004
sur les presses
de l'imprimerie Campin 2000
en Belgique (UE)

En couverture :
« Menu de la soirée de gala à l'Élysée du 21 avril 1914 »
(archives du ministère des Affaires étrangères,
« Menus », collection Braun-Poincaré)

© Éditions Complexe, 2004
SA Diffusion Promotion Information
24, rue de Bosnie
1060 Bruxelles

  n° 838